注音版 下

小猪唏哩呼噜

孙幼军 著

裴兆明 图

春风文艺出版社

图书在版编目（CIP）数据

小猪唏哩呼噜：注音版 下／孙幼军著. —沈阳：春风文艺出版社，2008.6（2013.12 重印）

（aoe 系列）

ISBN 978-7-5313-3322-7

Ⅰ. 小…　Ⅱ. 孙…　Ⅲ. 汉语拼音—儿童读物　Ⅳ. H125. 4

中国版本图书馆 CIP 数据核字（2008）第 055425 号

春风文艺出版社出版发行

地址：沈阳市和平区十一纬路 25 号　邮政编码：110003

联系电话：024—23284285

春风文艺出版社　网址：www. chinachunfeng. net

小布老虎工作室　主页：xblh. chinachunfeng. net

沈阳市新友印刷有限公司印刷

幅面尺寸：180mm×210mm	印张：6
字数：100 千字	
2008 年 6 月第 1 版	2013 年 12 月第 28 次印刷
责任编辑：单瑛琪	责任校对：赵志克
封面设计：冯少玲	印制统筹：刘　成

定价：15. 00 元

wā wū lǎo shī hěn hé qi
哇 呜 老 师 很 和 气

猪爸爸对唏哩呼噜说："你不能老在家淘气，应该上学了！"

小猪唏哩呼噜很喜欢背着书包去上学。可是他一听说老师是一头大狼，就尖着嗓门儿叫起来："我不要上学！我不要上学！"

猪妈妈说："没事儿！哇呜老师很和气的。马阿姨家的白白，也在他那儿上学嘛！"

唏哩呼噜不相信大狼会很和气，他跑去问小马驹白白。白白说："老师还可以，有时候

1

也发脾气。我爸发脾气踢我，好疼！哇呜老师顶多是敲桌子，从来不踢不打。"

"咬不咬？"

"不咬。他气极了，就龇出白牙大叫：'你们当我是谁？我是一只大狼！'"

"好凶嘛！"

"对啦，样子很凶的。可是我们都不怕他。"

第二天，小猪还是跟着白白上学去了。一路上，他的心"咚咚"地打鼓。

大狼老师正站在门口等着学生。远远地看见大狼老师，小猪吓得一下子藏到大树后头。白白站住说："走啊，不要紧的！"

小猪说："不行！我认识这只大狼。有一回他把我叼走了，想吃我，要把我分着装进他三

2

个孩子的肚子里！"

白白笑起来："瞎说什么呀！哇呜老师最爱

吃烤白薯。再说，他根本就没有孩子！"

这时候，大狼老师也看见他们了。他喊：

"白白，早上好！"

白白扯住唏哩呼噜，一起走上去。大狼老

师朝唏哩呼噜一鞠躬，高兴地说："哇，又有新

同学来啦！欢迎，欢迎！你叫什么名字呀？"

小猪连忙鞠躬，回答说："叫唏哩呼噜……"

小猪心里很害怕，这正是叼走他的那个大

狼先生嘛！

不过，这位"哇呜老师"好像瘦一些，也和

气得多。那个大狼根本不会笑，总是板着脸。

又有许多小学生走过来。哇呜老师忙着

3

向他们鞠躬，说"早上好"。白白一边拉着唏

哩呼噜走进去，一边说："挺好的吧？不骗你。"

唏哩呼噜问："怎么你们不给老师行礼，老

师反倒给你们鞠躬呀？"

正好一只小狐狸背着书包走在他们身后。

小狐狸很神气地说："我们养活他，他不鞠躬

行吗？"

这只小狐

狸名叫丁丁，

他爸爸就是开

糕点公司的那

个"狐狸掌柜"。

小猪认识狐狸

掌柜，可不知

dào dīng dīng shì tā de ér zi
道丁丁是他的儿子。

jiào shì jiù shì wā wū lǎo shī zhù de wū zi
教室就是哇呜老师住的屋子。

děng dào xué sheng lái le hǎo duō　wā wū lǎo shī pǎo jìn lái　xiào
等到学生来了好多，哇呜老师跑进来，笑

zhe wèn dà jiā　　　tóng xué men dài xué fèi lái le ma
着问大家："同学们带学费来了吗？"

xiǎo mǎ jū bái bai zǒu dào jiǎng tái nà er qù　cóng shū bāo li tāo
小马驹白白走到讲台那儿去，从书包里掏

chū liǎng kuài kǎo bái shǔ　fàng zài zhuōshang　wā wū lǎo shī kuài huo de
出两块烤白薯，放在桌上。哇呜老师快活地

hǎn　　wā　kǎo bái shǔ　hái shi rè de　　ō　duì bu qǐ
喊："哇，烤白薯，还是热的！噢，对不起……"

tā yì shǒu zhuā
他一手抓

zhù yí gè　zhuǎn guò
住一个，转过

shēn qù　děng tā zài
身去。等他再

zhuǎn huí shēn lái de shí
转回身来的时

hou　liǎng kuài kǎo bái
候，两块烤白

shǔ dōu méi le　jiù
薯都没了，就

跟变魔术一样。哇呜老师掏出手帕擦擦嘴巴，红着脸说：

"呃！对不……呃！对不起！我昨天晚……呃！昨天晚上没吃东西。呃！"

唏哩呼噜小声问："老师怎么了？"

白白咬着唏哩呼噜的耳朵说："好像是吃得太快，噎住了……你瞧，是不是老师最爱吃烤白薯？"

唏哩呼噜走到前边，掏出一个窝头放在桌上。小狐狸丁丁他们也都一个接一个地走上去。丁丁对小猪说："窝头算什么呀，我的是点心！"

他从书包里扯出一个纸袋子，"哗啦"一下子，把里边的东西都倒在桌子上。那是一堆碎点心渣子，里头有好多糕点的碎皮，有芝麻粒儿，还有两只蟑螂。哇呜老师正要把蟑螂捡出去，它们自己就慌慌张张逃走了。哇呜老师跟小狐狸丁丁商量："就装在纸袋里吧，好吗？"

丁丁说："不好。纸袋我还有用哪！"

他往空纸袋里吹一口气，接着举到老师鼻子前头，双手使劲一拍。"啪！"纸袋裂开来，声音好响，大伙儿都笑了。

两只羊羔、一只小猴子、一个熊崽子、一头牛犊……他们也都把带来的"学费"放到桌上，有的是一根胡萝卜，有的是一把黄豆，有的是两个铜板。

每个学生送东西的时候，大狼老师都朝他鞠躬，说"谢谢啦"。他拿来个小篮子，把东西

dōu zhuāng jìn qù　　kàn yàng zi　　wā wū lǎo shī zuì xǐ huan de hái shi tóng
都 装 进 去。看 样 子，哇 呜 老 师 最 喜 欢 的 还 是 铜

bǎn　　tā yì qiáo jiàn tóng bǎn　　yǎn jing jiù liàng le　　jí máng zhuā qǐ lái
板。他 一 瞧 见 铜 板，眼 睛 就 亮 了，急 忙 抓 起 来

fàng jìn yī dài li
放 进 衣 袋 里。

shàng kè　fēi cháng hǎo wán
2 上 课 非 常 好 玩

wā wū lǎo shī de wū zi hěn xiǎo　　shí jǐ gè xué sheng jiù jǐ de
哇 呜 老 师 的 屋 子 很 小，十 几 个 学 生 就 挤 得

mǎn mǎn de
满 满 的。

shàng kè de shí hou　　suí biàn nǐ zuò zài nǎ er　　xué sheng yǒu de
上 课 的 时 候，随 便 你 坐 在 哪 儿。学 生 有 的

zuò zài zhuō zi shang　　yǒu de zuò zài chuáng shang　　yǒu de zuò zài dì bǎn
坐 在 桌 子 上，有 的 坐 在 床 上，有 的 坐 在 地 板

shang　　xiǎo hóu zi ān an gān cuì qí zài dēng zhào shang　　bǎ shū bāo wǎng
上。小 猴 子 安 安 干 脆 骑 在 灯 罩 上，把 书 包 往

diàn xiàn shang yì shuān　　liǎng tiáo tuǐ dàng lái dàng qù de　　xiǎo zhū xī li hū
电 线 上 一 拴，两 条 腿 荡 来 荡 去 的。小 猪 唏 哩 呼

lū kàn jiàn xiǎo hú li dīng ding de shēn páng yǒu gè kòng xì　　jiù jǐ zhe zuò
噜 看 见 小 狐 狸 丁 丁 的 身 旁 有 个 空 隙，就 挤 着 坐

xià lái
下 来。

jiǎng tái shì luō qǐ lái de liǎng gè pò mù xiāng hēi bǎn yě shì dà
讲台是摞起来的两个破木箱，黑板也是大

láng lǎo shī zì jǐ dòng shǒu zuò chū lái de yòng guō dǐ huī chānshàng
狼老师自己动手做出来的——用锅底灰掺上

jiāo shuǐ wǎng fěn qiáng shang yì tú sì sì fāng fāng yuǎn yuǎn kàn qù gēn
胶水往粉墙上一涂，四四方方，远远看去，跟

guà zhe yí kuài zhēn hēi bǎn shì de
挂着一块真黑板似的。

wā wū lǎo shī kàn kan shǒu biǎo jiù jǔ qǐ yí gè dà líng dang
哇呜老师看看手表，就举起一个大铃铛，

shǐ jìn yáo qǐ lái hái hǎn zhe shàng kè la shàng kè la
使劲摇起来，还喊着："上课啦！上课啦！"

tóu yì táng shì yǔ wén kè wā wū lǎo shī gāng yì kāi jiǎng xiǎo
头一堂是语文课，哇呜老师刚一开讲，小

9

huā māo mī mi jiù pīn mìng jiào qǐ lái　　　　lǎo shī　　tā qiǎng wǒ de hú
花猫咪咪就拼命叫起来："老师，他抢我的蝴

dié jié
蝶结！"

　　　　xiǎo zhū kàn de hěn qīng chu　　shì xiǎo hóu zi ān an chèn zhe lǎo shī
　　小猪看得很清楚，是小猴子安安趁着老师

zhuǎn shēn xiě zì　　bǎ wěi ba chán zài diào dēng shang dǎ le gè qiū qiān　yì
转身写字，把尾巴缠在吊灯上打了个秋千，一

bǎ zhuā zǒu le mī mi tóu dǐng shang de hú dié jié
把抓走了咪咪头顶上的蝴蝶结。

　　　　bǎ hú dié jié huán gěi tā　　ān an　　wā wū lǎo shī shuō
　　"把蝴蝶结还给她，安安，"哇呜老师说，

bù kě yǐ qī fu nǚ hái zi de
"不可以欺负女孩子的！"

　　　　xiǎo zhū kàn jiàn ān an bǎ hú dié jié diū xià lái　　gāng sōng le yì
　　小猪看见安安把蝴蝶结丢下来，刚松了一

kǒu qì　　hū rán jué de zì jǐ de yì zhī ěr duo xiàng shì gěi dà mǎ fēng
口气，忽然觉得自己的一只耳朵像是给大马蜂

dīng le yì kǒu　　tā rěn bú zhù　zhī er zhī er　de jiào chū shēng lái
叮了一口。他忍不住"吱儿吱儿"地叫出声来。

wā wū lǎo shī wèn　　　xī li hū lū　zěn me la
哇呜老师问："唏哩呼噜，怎么啦？"

　　　　xiǎo zhū zhǐ zhe xiǎo hú li dīng ding shuō　　　tā shǐ jìn yǎo wǒ ěr
　　小猪指着小狐狸丁丁说："他使劲咬我耳

duo yì kǒu　hǎo téng
朵一口，好疼！"

　　　　wā wū lǎo shī shuō　　dīng ding　bù xǔ qī fu xīn tóng xué
　　哇呜老师说："丁丁，不许欺负新同学！"

10

他的话音刚落，坐在床上的熊崽子又哼

哼唧唧地说起来。哇呜老师问："黑黑，你嘟

嘟囔囔讲什么呢？"

熊崽子说："我说老师的床……一点儿都不

好，净是水……"

净是水？

哇呜老师挤过去看，床上果真湿了一大

片。他抬头看看，天棚上虽然垂下一片纸，却

并不滴水。那是上回下雨，房顶漏水弄坏的。

现在外边是大晴天，房顶怎么会漏雨呢！

他又扭头看看小柜子。小柜子上给学生

预备的水杯也都好好儿地摆在那儿，一个都不

少。

"怎么回事？"哇呜老师问坐在床上的羊

11

羔兄弟，"是不是你们又带来了可口可乐？拿出来！"

羊羔哥哥张张嘴巴没说话。羊羔弟弟胆怯地看了熊崽子一眼，低声说："我们没带可乐。是黑黑撒尿了……"

满屋的学生一齐哈哈笑起来，原来床上那"水"是小熊自己弄的！小狐狸丁丁带头儿起哄，一边怪叫，一边双手拍桌子、两脚跺地板。小猴子把两个指头塞进嘴里，冲着下面拼命吹口哨。这一通闹，差点儿把房顶掀起来！

唏哩呼噜觉得非常开心，也跟着大家乱叫一气。原来，上课这么好玩儿！

等孩子们闹够了，哇呜老师对熊崽子黑黑说："以后不要再这么干啦！你看，褥子都湿透

12

了，晚上老师还怎么睡觉？要想撒尿，你就举起

手来，说'老师我要撒尿'……"

他刚说到这儿，吊灯上的安安就举起手来

喊："老师，我要撒尿！"

接下来，屋子里举起一片蹄子、爪子，大

伙儿都叫："老师，我也要撒尿！"

哇呜老师没办法，行啊，也正好趁这工夫，

把床单和褥子都掀下来，拿到院子里去晾晒。

他就说："好，都去吧！"

在院子里，哇呜老师由一边往绳子上挂

床单、褥子什么的，一边东张西望，不停地叫

喊："别往院子外头跑——说你哪，你给我回

来！喂，安安，你爬树干什么？厕所又不在树

上！嘿，小汪汪，你怎么往我饭锅里尿啊？……"

13

好不容易把学生一个一个地都弄回来，哇呜老师满头大汗地开始讲课。他刚刚说了两句，小猪唏哩呼噜就趴在地板上睡着了，他打呼噜的声音很响，逗得大家哈哈笑。哇呜老师向学生们解释："别乐！他们猪家的人原本觉就多，这孩子小，又是头一天上学。让他睡一会儿吧，你们就当没听见！"

可是小猪的呼噜越打越响，压倒了老师讲课的声音，大家不笑也没用。哇呜老师只好拿来一张报纸，把小猪的头蒙起来，指望这样能让声音小点儿。没想到小猪打个呼噜，报纸就一鼓。三鼓两鼓的，报纸让他吹得飞上半空。

哇呜老师怔了一下，又取来洗脸盆，扣在小猪头上。可是这回更麻烦了，呼噜声一下子

14

kuò dà le hǎo jǐ bèi　yuán xiān shì
扩大了好几倍，原先是：

hū　　　lū　hū　　　lū
呼 —— 噜！呼 —— 噜！

xiàn zài biànchéng le
现在变成了：

hōng　　　lōng　hōng　　　lōng
轰 —— 隆！轰 —— 隆！

sì miànqiáng bì zhèndòng　péngdǐng shang　shuā shuā　de wǎng xià diào
四面墙壁震动，棚顶上"刷刷"地往下掉

tǔ　　dà huǒ er yě gù bú shàngxiào le　dōu bǎ ěr duo shǐ jìn wǔ zhù
土。大伙儿也顾不上笑了，都把耳朵使劲捂住。

xìng hǎo xià kè de shí jiān dào le　wā wū lǎo shī kàn kan shǒu
幸好下课的时间到了。哇呜老师看看手

biǎo　jǔ qǐ dà líng dang　shǐ jìn yáo qǐ lái
表，举起大铃铛，使劲摇起来。

3
nǐ dàng wǒ shì shéi　wǒ shì yì zhī dà láng
你当我是谁？我是一只大狼！

dì èr táng shì suàn shù kè
第二堂是算术课。

xī li hū lū bú zài shuì jiào　tā hěn xǐ huan suàn shù　bà ba
唏哩呼噜不再睡觉，他很喜欢算术。爸爸

hé mā ma de suàn shù dōu yì tā hú tú　mǎi dōng xi zěn me yě shǔ bù
和妈妈的算术都一塌糊涂，买东西怎么也数不

qīng，lǎo shì shòu piàn。xī li hū lū dǒng de，yǐ hòu jiā li quán kào
清，老是受骗。唏哩呼噜懂得，以后家里全靠

tā la
他啦！

wā wū lǎo shī yáo wán líng，jiù zài hēi bǎn shang xiě le
哇呜老师摇完铃，就在黑板上写了：

$$3 + 5 =$$

tā zhuǎn guò shēn lái wèn xué sheng，shéi huì suàn jǔ qǐ shǒu lái
他转过身来问学生："谁会算举起手来！"

xiǎo zhū zuì xiān jǔ shǒu，kě shì wā wū lǎo shī méi jiào tā。lǎo
小猪最先举手，可是哇呜老师没叫他。老

shī kàn jiàn xiǎo hú li dīng ding zhèng zài qiǎng mī mi de wén jù hé，jiù yì
师看见小狐狸丁丁正在抢咪咪的文具盒，就一

zhǐ tā shuō，dīng ding，nǐ shàng lái suàn
指他说："丁丁，你上来算！"

xiǎo hú li huāng huāng zhāng zhāng zǒu dào hēi bǎn nà er，zài shàng tou
小狐狸慌慌张张走到黑板那儿，在上头

xiě le yí gè
写了一个：

$$7$$

wā wū lǎo shī wèn dà jiā，dīng ding suàn de duì ma
哇呜老师问大家："丁丁算得对吗？"

yǒu hǎn bú duì de，yě yǒu hǎn duì de。xiǎo zhū shuō
有喊"不对"的，也有喊"对"的。小猪说：

bú duì，sān jiā wǔ děng yú bā
"不对，三加五等于八。"

wā wū lǎo shī shuō　　xī li hū lū suàn de duì　yīng gāi shì bā
哇呜老师说："唏哩呼噜算得对，应该是八。"

xiǎo hú li hā hā xiào　　xī li hú tú hái néng duì　míng míng
小狐狸哈哈笑："稀里糊涂还能对？明明

shì qī ma
是七嘛！"

wā wū lǎo shī shuō　　dīng ding nǐ qiáo zhe　　nà tiān nǐ jiǎo de
哇呜老师说："丁丁你瞧着，那天你缴的

xué fèi shì sān lì pú táo　　tā zài hēi bǎn shang huà le sān gè quān
学费是三粒葡萄……"他在黑板上画了三个圈

er　　dì èr tiān　nǐ yòu jiǎo le wǔ lì pú táo　　tā yòu zài
儿，"第二天，你又缴了五粒葡萄……"他又在

hēi bǎn shang huà le wǔ gè quān er　　hǎo　xiàn zài nǐ shǔ shu　yí gòng
黑板上画了五个圈儿："好，现在你数数，一共

shì jǐ lì
是几粒？"

dīng ding shuō　　shén me shén me ya　pú táo gēn běn méi nà me
丁丁说："什么什么呀！葡萄根本没那么

18

大，都画成橘子啦！"

哇呜老师说："甭管是什么吧，你数数，总

共是几个？"

丁丁不想输给小猪。他数着说："一、二、

三、四、五、六、七。是七个！"

哇呜老师说："不对，再数一次！"

丁丁又数一回，还说是"七"。

哇呜老师有点儿急了。他说："你怎么连

数数儿都不会？"

丁丁说："就是七嘛！别听傻小猪的，你问

安安，他爸是税务局长，算术好着哪！"

小猴子安安在吊灯上喊："没错儿，就是七！"

丁丁又问："小汪汪，你说呢？"

狗崽子小汪汪说："当然是七！我爸是商

19

业局局长，算术也好！"

哇呜老师说："你们这帮孩子，今天犯了什么毛病？来，我指着，大家一齐数！"

丁丁急忙跑到前头，趴在老师的耳朵上说："别数了，你就说'丁丁算对了'，不就得啦？要是你说是'七'，明天早晨我给你带来七块奶油蛋糕，上头挤着好多奶花儿的那种！要是你说等于八，明天我连点心渣子都不带，就给你八粒芝麻！还让安安、小汪汪他们什么都不带，饿你三天！"

小猪唏哩呼噜听不见小狐狸说什么。他只看见，哇呜老师听了丁丁的话，两只眼睛发直，好像傻了一样。

哇呜老师在想：是啊，安安、小汪汪他们

都听丁丁的话，要真是三天里什么东西都不带

来……哇！

一屋子的学生都盯着哇呜老师。他们不知

道丁丁说了什么，把老师吓成这般模样。

忽然，哇呜老师一跳三尺高。他龇出雪白

的牙齿，冲着小狐狸大发脾气："你当我是谁？

我是一只大狼！'大狼'你懂不懂？我就是饿

上30天，也不能胡说八道，误人子弟！'误人

21

zǐ dì, nǐ dǒng bù dǒng xiǎo hú li zǎi zi wǒ gào su nǐ sān jiā
子弟，你懂不懂？小狐狸崽子，我告诉你：三加

wǔ děng yú bā děng yú bā děng yú bā
五等于八！等于八！等于八！"

tā yì shēng bǐ yì shēng gāo bǎ dà huǒ er dōu xià huài le xiǎo
他一声比一声高，把大伙儿都吓坏了。小

hóu zi zuì xiān cóng diào dēng shang bèng xià lái sān tiào liǎng tiào jiù cuān chū
猴子最先从吊灯上蹦下来，三跳两跳就蹿出

mén qù xiǎo hú li dīng ding hé gǒu zǎi zi xiǎo wāngwang jǐn gēn zhe tā
门去。小狐狸丁丁和狗崽子小汪汪紧跟着他

táo chū fáng mén jiē zhe bié de xué sheng yě yì wō fēng shì de cóng wū
逃出房门。接着，别的学生也一窝蜂似的从屋

zi li yǒng chū qù
子里涌出去。

xī li hū lū bèi rén jia zhuàng le gè dà gēn tou suǒ yǐ pǎo zài
唏哩呼噜被人家撞了个大跟头，所以跑在

zuì hòu tā jīng huāng shī cuò de shí hou yě méi wàng jì bà ba jiāo gěi tā
最后。他惊慌失措的时候也没忘记爸爸教给他

de lǐ mào huí guò tóu qù shuō le yì shēng lǎo shī zài jiàn
的礼貌，回过头去说了一声："老师再见！"

zán men shì lǎo péng you la
咱们是老朋友啦！

dì èr tiān zǎo chen xiǎo zhū qù shàng kè kàn jiàn wā wū lǎo shī jiā
第二天早晨小猪去上课，看见哇呜老师家

的门紧紧关着。门缝上交叉着贴了两张黄色的封条，好像个大乘号。

小猪问小马驹白白："这是怎么一回事呀？"

白白说："我也不知道。咱们问问驴伯伯吧！"

卖馄饨的驴掌柜，正站在热气腾腾的大锅前头忙着。他回答两个孩子说："今儿早晨搬走啦！没瞧见门

让人家封了？搬

了就搬了吧！

——他跟我当了

半年街坊，连一

碗馄饨都没买

过，反倒问我要

了两回汤。那么

23

一个穷小子，跟他能学出什么来？学受穷？"

唏哩呼噜刚上一天学就没书读了。猪太

太十分着急，抱怨猪先生不赶紧想办法。猪先

生说："我也着急呀！我听说新办的一个学校

很好，今天就去找鳄鱼校长。没想到鳄鱼校

长说，在他们那个学校读书，一个孩子要缴一

百万……"

猪太太插嘴说："你是想说'一百元'吧？"

猪先生说："不，是一、百、万！"

猪太太吓得差点儿晕过去。好半天，她才

说："还不如让他把我一口吞下去呢——就算

一斤卖50块，我也顶多能卖一万块钱！"

唏哩呼噜不上学，就到处闲逛。有一天，

他正在大街上走，一辆崭新的摩托车迎面飞驰过来，"嘎——"一声停在他面前。

"你好哇，唏哩呼噜！"驾车的大个子跳下来，向他打招呼。

那大个子又摘下头盔。呀，是哇呜老师！哇呜老师穿着一件崭新的皮夹克，还有一双闪亮的黑皮靴，跟原先大不一样了！老师向四周瞧瞧说："这儿正好有个酒吧，来，老师请你吃冰激凌！"

酒吧里很清静。他们在很舒服的椅子上坐下，哇呜老师给唏哩呼噜点了蛋糕和冰激凌，自己只要了一大杯啤酒。

小猪从来没吃过味道这么好的东西。他"唏哩呼噜"地吃下一盘蛋糕、三份冰激凌之后才说："我跟白白去上学，找不到老师啦！"

哇呜老师说："丁丁生气了，让他爸爸去找商业局的狗局长，还有税务局的猴子局长。

两位局长就来找我，一个说我吓唬学生，吊销了我的营业执照；一个说我收入的点心渣子和烤白薯什么的，都没缴税，是偷税漏税。这么着，就把我的门给封了——猫小姐，请再给我们一盘点心、两份冰激凌。"

小猪说："够啦！一百块钱一盘，好贵……"

哇呜老师笑起来："到底是吃够了，还是嫌贵呀？别客气，咱们是老朋友啦！"

老朋友？他就上了一天课！

小猪怔怔地看着哇呜老师。

哇呜老师说："谢谢你救了我的三个孩子！要不是你，月牙熊先生准得把他们吃掉！"

呀，哇呜老师果真是那只大狼！

不过，这回唏哩呼噜一点儿也没害怕。大狼先生正在很感激地望着他，泪水在眼眶里打转转。

"你还挖了蚯蚓给他们吃。"哇呜老师说，"我怎么弄不到那东西？我挖了好多地方，挖得好深，就是找不到！"

小猪说："蚯蚓不是什么地方都有的。要

找又低又潮湿的泥土，最好上面还盖着烂树叶子。"

哇呜老师说："是吗？啊，唏哩呼噜真是个有学问的小猪！吃蛋糕，吃吧！"

小猪问："找到您的枪了吗？"

哇呜老师说："当然！根本不用找，就放在我屋子里嘛，这也要谢谢你！不过，那支枪已经没了，让我卖掉啦，唉，多好的枪！有什么办法呢？得吃饭呀！我的那三个娃娃让我宠坏了，我总想，他们没了妈妈，太可怜。结果是，除了鱼和肉，他们什么都不吃！后来没辙了，我就到镇上来教书。可是这帮屁孩子，净给些白薯、点心渣子、窝头什么的，我的三个娃娃根本就不吃……噢，对不起，我不是说你。你们猪家净喝稀的，给我带来窝头就不容易啦！我一见着铜板就特别高兴，因为，我可以给三个娃娃买些小鱼、小虾了！"

小猪问："您早就认出我来啦？"

大狼先生说："对啦！你来上学，我一看，呀，这不是那个唏哩呼噜吗？叼过你一次，不好意思认你。再说，我也怕你问：'大狼先生，你那三个孩子都好吗？'……"

小猪不明白："那是为什么呀？"

大狼先生说："你不知道吗？养孩子要缴狼头税呀！一个孩子八千块，三个就两万四啊！我只好假装没孩子。"

对的。唏哩呼噜的爸爸也为给他们缴猪头税发愁过。

29

"这回好啦!"哇呜老师说,"我现在在一家大公司当职员,每个月挣好多钱。我租了一套公寓,把三个孩子也接来了!"

哇呜老师问小猪进了新学校没有。小猪把鳄鱼校长的事说了。哇呜老师说:"没关系!等我挣够了钱,我也盖一座漂亮的学校。那时候你就来上学,我连一个铜板也不要你的!"

唏哩呼噜听了很快活。

这么一快活不要紧,他一口气又吃了9盘蛋糕、28份冰激凌。

1 厉害的保险柜
lì hai de bǎo xiǎn guì

大狼哇呜先生的学校关了门，那些狗崽子、猴崽子、狐狸崽子们没事干，整天到处游逛。大街上游逛够了，他们还往同学家跑。

这样，猪太太家老有一帮孩子来找唏哩呼噜玩儿。他们最爱到唏哩呼噜家，因为，就是他们闹翻了天，猪妈妈也不对他们发脾气，顶多是说："你们小一点儿声，要不鸭太太会生气的——她说噪音太大会影响她们下蛋。"

他们爱找唏哩呼噜，还因为他老实，从来

31

bù qī fu tóng xué
不 欺 负 同 学 。

diǎn xin pù de hú li zhǎng guì shì dīng ding de bà ba   dīng ding jiā
点 心 铺 的 狐 狸 掌 柜 是 丁 丁 的 爸 爸 。 丁 丁 家
fáng zi tè bié dà   wán jù tè bié duō   kě shì hú li zhǎng guì bù zhǔn
房 子 特 别 大 ， 玩 具 特 别 多 ， 可 是 狐 狸 掌 柜 不 准
xiǎo jiā huo er men qù   dīng ding yǒu yì jiàn   kàng yì shuō   zěn me
小 家 伙 儿 们 去 。 丁 丁 有 意 见 ， 抗 议 说 ： " 怎 么
nǐ ràng wǒ   shǎo guàng dà jiē   zuì hǎo zài tóng xué jiā li wán er
你 让 我 ' 少 逛 大 街 ， 最 好 在 同 学 家 里 玩 儿 ' ？ "

hú li zhǎng guì duì ér zi jiě shì shuō   tā men jiā li bú shì
狐 狸 掌 柜 对 儿 子 解 释 说 ： " 他 们 家 里 不 是
méi zhè me duō qián ma
没 这 么 多 钱 嘛 ！ "

dīng ding jì xù kàng yì   nǐ de qián dōu suǒ zài bǎo xiǎn guì li
丁 丁 继 续 抗 议 ： " 你 的 钱 都 锁 在 保 险 柜 里 ！
nà ge bǎo xiǎn guì
那 个 保 险 柜 …… "

dīng ding méi wǎng xià shuō   nà ge bǎo xiǎn guì de lì hai   tā kě
丁 丁 没 往 下 说 。 那 个 保 险 柜 的 厉 害 ， 他 可
zhī dào
知 道 ！

tā bà ba kāi bǎo xiǎn guì wǎng lǐ fàng qián de shí hou   zǒng shì yòng
他 爸 爸 开 保 险 柜 往 里 放 钱 的 时 候 ， 总 是 用
shēn tǐ dǎng zhù shàng miàn de liǎng gè liàng liàng de xuán niǔ   pà tā kàn jiàn
身 体 挡 住 上 面 的 两 个 亮 亮 的 旋 钮 ， 怕 他 看 见 ，

知道了密码。可是丁丁老是假装在地板上玩得很起劲，偷偷地斜了细眼睛看，日子一多，他到底知道了密码。有一天丁丁在电子游戏厅把钱都输光了，他趁爸爸在前面的店铺里忙生意，溜进爸爸的房间。他还当是他知道密码，就能打开保险柜，没想到他的手刚伸到旋钮上，就有谁伸过一只手来，"啪"地打了他一个大耳光。这个大耳光好重，把他打得趴在地板上。他叫喊求饶："我就摸摸，根本就没想拿钱……"

可是仔细看看，身边并没有爸爸。他跑到前面去看，他老爸正在那里忙着呢！

他觉得非常奇怪，又跑回去。这次他拿了一把笤帚，手里握着长柄，看能不能用笤帚顶住旋钮，转动它。不料笤帚刚刚触及旋钮，又

shì yí jì dà ěr guāng bǎ tā dǎ fān zài dì
是 一 记 大 耳 光 , 把 他 打 翻 在 地 。

zhè huí tā kàn qīng le yuán lái shì bǎo xiǎn guì de cè miàn
这 回 他 看 清 了 —— 原 来 是 保 险 柜 的 侧 面

hū rán shēn chū yì zhī shǒu lái hǎo jiā huo nà tiáo gē bo huì shēn chū
忽 然 伸 出 一 只 手 来 。 好 家 伙 , 那 条 胳 膊 会 伸 出

nà me cháng zhí dǎ dào tā liǎn shang
那 么 长 , 直 打 到 他 脸 上 !

zhè hái bú suàn wǎn shang bà ba bǎ tā jiào qù yí dèng yǎn shuō
这 还 不 算 , 晚 上 爸 爸 把 他 叫 去 , 一 瞪 眼 说 :

nǐ xiǎo zi jīn tiān xiǎng ná wǒ de qián shì bú shì
"你 小 子 今 天 想 拿 我 的 钱 , 是 不 是 ? "

dīng ding zhuāng shǎ shuō ná nín de qián nín de qián fàng zài nǎ
丁 丁 装 傻 说 : " 拿 您 的 钱 ? 您 的 钱 放 在 哪

er a
儿 啊 ? "

tā bà ba yí
他 爸 爸 一

lè shuō xiǎo
乐 , 说 : " 小

zi gēn wǒ wán huā
子 , 跟 我 玩 花

zhāo er yǒu nǐ de
招 儿 , 有 你 的 ! "

hú li zhǎng guì
狐 狸 掌 柜

bǎ dīng ding lǐng dào bǎo
把 丁 丁 领 到 保

34

险柜前，按一下侧面一个按钮。那上面立刻出现一个屏幕，而且放起电视来，演的正是丁丁蹑手蹑脚走到保险柜前去摸旋钮，挨了一个大耳光，还大声叫唤："我就摸摸……"紧接着，屏幕上又出现他双手擎着笤帚，伸向保险柜。

丁丁呆住了。好家伙，还给他录了像！

不过他老爸只是哈哈一笑："好好儿跟你老爸学吧，你还差得远着呢！"

唏哩呼噜家可没保险柜，看样子他们也用不着那东西。小狐狸丁丁常趁着大伙儿玩儿得热闹的时候，这里摸摸，那里翻翻。他摸清了——猪爸爸那点儿钱都放在大双人床的褥子底下。

丁丁并没想动那些钱。唏哩呼噜是他朋

友，对朋友得讲点儿义气。别看他老惦记着保
险柜，可保险柜里的钱是他自己家的。动自己
家的钱叫"拿"，动别人的钱可就叫"偷"了。
不管怎么说，他当过几天大狼哇呜老师的学生，
这个道理他懂。他想知道谁的钱放在哪儿，不

过是好奇，说得严重一点儿，也顶多是他有点
儿毛病。

2 电子游戏

这一天，大伙儿在唏哩呼噜家玩够了，各自回家。丁丁捅一下唏哩呼噜说："走，我带你去那个好地方！"

唏哩呼噜知道，那个"好地方"是电子游戏厅。他犹豫了一下，还是跟着丁丁走了。

门口写着"学生禁止入场"，门口两个打扮得很漂亮的猫小姐却好像忘了这回事，跑上来扯住他们，喵喵地说："欢迎！欢迎！"

里面确实挤满了学生。唏哩呼噜头一回到这地方来，东张西望："呀，真热闹！"

丁丁兴冲冲地说："不光是热闹，还有钱

37

zhuàn na
赚哪！"

tā lǐng xiǎo zhū dào yí dà pái huā huā lù lù de yóu xì jī qián
他领小猪到一大排花花绿绿的游戏机前，

yì biān rèn zhēn kàn　　yì biān zhǐ zhe shuō　　bǎ yí kuài qián yìng bì cóng
一边认真看，一边指着说："把一块钱硬币从

zhè ge xiǎo dòng li rēng jìn qù　　xià miàn jiù huì diào chū shí gè lái　　yùn
这个小洞里扔进去，下面就会掉出十个来，运

qì hǎo　　shuō bú dìng shì yì bǎi gè
气好，说不定是一百个！"

xī li hū lū chī le yì jīng　　huì yǒu zhè yàng de shì　　tā yě
唏哩呼噜吃了一惊：会有这样的事？他也

zhēng dà le yǎn kàn
睁大了眼看。

yì zhī chuān de hěn kuò qi de hóu zi　　zhèng xìng zhì bó bó de zài
一只穿得很阔气的猴子，正兴致勃勃地在

wǎng xiǎo dòng li tóu yì yuán de yìng bì　　tā yí xià zi jiù tóu jìn wǔ
往小洞里投一元的硬币。他一下子就投进五

gè　　kě shì xiǎng qǐ yì shēng　　wā wū　　zhèng miàn de píng mù shang chū xiàn
个，可是响起一声"哇呜"，正面的屏幕上出现

yí gè zhāng zhe dà zuǐ ba de lǎo hǔ　　xiǎo zhū xià de dào tuì le liǎng
一个张着大嘴巴的老虎。小猪吓得倒退了两

bù　　zhèng le yí huì er shuō　　xià miàn shén me yě méi chū lái
步，怔了一会儿说："下面什么也没出来！"

dīng dīng piě pie zuǐ shuō　　tā shì gè bèn dàn　　nǐ qiáo wǒ de
丁丁撇撇嘴说："他是个笨蛋！你瞧我的！"

dīng dīng jǐ shàng qù　　wǎng xiǎo dòng li rēng le gè yí kuài qián de yìng
丁丁挤上去，往小洞里扔了个一块钱的硬

38

bì
币。

jī qì xiǎng qǐ yí zhèn hǎo tīng de yīn yuè　píng mù shang chū xiàn yí
机器响起一阵好听的音乐，屏幕上出现一

gè xiào mī mī de māo gū niang　jǐn jiē zhe　huā lā lā　huā
个笑眯眯的猫姑娘。紧接着，"哗啦啦"、"哗

lā lā　yí piàn xiǎng　xià miàn diào chū hǎo duō yì yuán de yìng bì　dōu
啦啦"一片响，下面掉出好多一元的硬币，都

gǔn jìn yí gè hé zi li　dīng ding duān qǐ hé zi　hā hā xiào　shì
滚进一个盒子里。丁丁端起盒子，哈哈笑："是

yì bǎi kuài
一百块！"

唏哩呼噜又惊又喜："都归你了？"

丁丁一边美滋滋地往自己衣袋里装钱，一边说："那当然啦！"

唏哩呼噜连忙从衣袋里掏出一块钱，也要往里投。丁丁拦住他说："不，等一等！"

那位猴子先生可不等，他投进一块钱去。

大老虎又出来了，又"哇呜"一声叫，还是一块钱也没掉出来。

小猪都吓得出汗了。他抹了一把脑门儿说："亏得你拦住我，要不，我的钱就没啦！"

小狐狸洋洋得意："听我的没错儿！"

他又把小猪拉到一旁，悄悄告诉他一个秘密："每台机器都是他们事先安排好的，吃下五千块，吐出一千块，还以为我不知道！我刚才躲在后头看，这台机器已经吞下好多钱了，一块也没吐出来，我这才扔进一块钱去！怎么样？”

他使劲拍拍自己鼓鼓囊囊的衣袋。

他们又躲在后头看了一会儿，丁丁把唏哩呼噜领到一台机器前头说："扔进去！"

唏哩呼噜把自己的一块钱从小孔里扔了进去。

响起一阵好听的音乐声，下边"哗啦啦"一阵响，掉出十块光闪闪的硬币来！

小狐狸哈哈笑，一拍小猪的脑袋说："愣着干吗呀？是你的钱，快拿着！"

小猪端起小盒子，手直哆嗦。他爸爸一个月就给他一块零花钱，他可从来没有过这么多钱！啊，他发财了！

41

丁丁跟唏哩呼噜讲过好几回电子游戏厅的事，让他一起来玩儿。可是爸爸妈妈嘱咐过他，不许他来，唏哩呼噜还是听了爸爸妈妈的话。

今天他本来想进来看一看就走的，可是现在，小猪一点儿都不想走了。他衣袋里的十块钱"叮当"直响，让他觉得像是在做梦，可这不是做梦！丁丁赢了一百块，也是他亲眼看到的，丢进一块，出来一百，哇！

他也想得到一百块。要是他给妈妈拿回一百块，妈妈一定会跟耗子咬了她的耳朵一样，"哇哇"叫着跳起来！

他就冒着大汗，跟小狐狸一起玩儿起来。

小猪不怕费时间，小心地站在那里等机会。

他看到一台机器老是把钱吞进去不肯吐出来，

觉得机会差不多了，就把钱投进一块去。可是大老虎露出脸来，向他"哇呜"一声叫，他的一块钱无影无踪了。看样子，小狐狸的招数也不大灵！

小狐狸要比小猪快得多。到小猪的衣袋里只剩下一块钱的时候，小狐狸只是站在一旁发呆——他连一块钱也没有了！

小狐狸两眼通红，把手伸进小猪的衣袋里："借给我，等会儿我还你两块！"

别看就这一块钱，说不定，一下子忽然又变成一百块！

可是，他连一块钱也没捞到。

小狐狸很不甘心，他使劲搓着手，对小猪说："你回去拿一点儿钱来，你家近！"

43

倒也不是"远"、"近"的问题，小狐狸知道爸爸的钱他连一分也拿不到。

小猪有些为难："我不知道我们家的钱放在哪儿……"

小狐狸也顾不上许多了："在大床的褥子底下！你得从床上爬过去，在最里边的那个角上！"

小猪从来没干过这种事。可是，现在他和小狐狸一样，心里只剩下"一块钱说不定一下子就变成一百块"的念头，他毫不犹豫，急急忙忙跑回去，把褥子底下的钱都装进衣袋里。

可惜，那些钱没有一个变成一百块的。倒是刚才的两个大财主一下子都变成了穷光蛋。

出了电子游戏厅的门，小狐狸向两位漂亮

44

的猫小姐做了个威胁的手势，凶巴巴地叫："我要狠狠揍你们一顿！"

两位猫小姐只是笑眯眯地朝他们一鞠躬："欢迎下回再来！"

其实小狐狸早就心平气和，眼睛不红了，也不再冒汗。他对小猪说："去我家玩儿吧！"

小猪心里还想着：唉，要是我赢了十块钱就走多么好，那样，我还是个大富翁！小狐狸又问他一次："到我家去玩好不好？"他摇摇头说："你爸不让！"

他想，还玩儿呢！裤子底下光秃秃的，爸爸回来可怎么办？

丁丁说："我爸今天出去谈生意，还请人家吃晚饭，夜里才回来呢！我的好玩具多得很，让

nǐ wán er gè gòu
你 玩 儿 个 够 ！ ”

xī li hū lū mǎn fù xīn shì de suí zhe dīng ding dào le hú li
唏 哩 呼 噜 满 腹 心 事 地 随 着 丁 丁 到 了 狐 狸

zhǎng guì jiā
掌 柜 家 。

3 在 小 狐 狸 家
zài xiǎo hú li jiā

dīng ding méi xiǎng dào tā bà ba bú dàn bǎ diàn pù guān de yán yán
丁 丁 没 想 到 ， 他 爸 爸 不 但 把 店 铺 关 得 严 严

de lián zhái yuàn yě guà shàng dà suǒ dīng ding qì de zhí tiào jiǎo zhēn
的 ， 连 宅 院 也 挂 上 大 锁 ！ 丁 丁 气 得 直 跳 脚 ： “ 真

bú xiàng huà wǒ lián zì jǐ de wū zi yě jìn bú qù
不 像 话 ！ 我 连 自 己 的 屋 子 也 进 不 去 ！ ”

xī li hū lū yì zhǐ shuō nà er tiē zhe yì zhāng tiáo zi
唏 哩 呼 噜 一 指 说 ： “ 那 儿 贴 着 一 张 条 子 ！ ”

tā men zǒu jìn le kàn shàng miàn xiě zhe
他 们 走 近 了 看 ， 上 面 写 着 ：

dīng ding nǐ dào xī li hū lū jiā qù wán er ba tā lǎo shi
丁 丁 ： 你 到 唏 哩 呼 噜 家 去 玩 儿 吧 ， 他 老 实 ，

bú huì qī fu nǐ wǎn fàn jiù zài tā jiā chī yào shi nǐ guāi wǒ
不 会 欺 负 你 。 晚 饭 就 在 他 家 吃 。 要 是 你 乖 ， 我

47

huí lái gěi nǐ shí kuài qián
回来给你十块钱！

xī lī hū lū zhè shí hou biǎo xiàn chū tā yǒu duō me lǎo shi
唏哩呼噜这时候表现出他有多么"老实"。

tā tái tóu kàn kan gāo qiáng tóu shuō cóng nà er pá jìn qù lái wǒ
他抬头看看高墙头说："从那儿爬进去！来，我

dǐng zhe nǐ
顶着你！"

xiǎo hú li cǎi zhe xiǎo zhū de jiān bǎng yòu dēng le yí xià tā nǎo
小狐狸踩着小猪的肩膀，又蹬了一下他脑

dai hěn líng qiǎo de fān qiáng jìn qù le tā hěn kuài jiù diū chū yì gēn
袋，很灵巧地翻墙进去了。他很快就丢出一根

shéng zi bǎ xiǎo zhū yě lā le jìn qù
绳子，把小猪也拉了进去。

yào jìn fáng zi jiù kùn nan duō le liǎng céng jiē jie shí shí de fáng
要进房子就困难多了。两层结结实实的防

dào mén dōu jǐn suǒ zhe chuāng hu shang yǒu hěn cū de tiě lán gān xiǎo zhū
盗门都紧锁着，窗户上有很粗的铁栏杆。小猪

ān wèi tā de péng you shuō bié zháo jí méi shì er
安慰他的朋友说："别着急，没事儿！"

tā ràng xiǎo hú li bāng máng hé lì xiān kāi yuàn zi li yí kuài shuǐ
他让小狐狸帮忙，合力掀开院子里一块水

ní bǎn dīng ding tàn tou kàn kan lǐ tou hēi gu lōng dōng de hái yǒu
泥板。丁丁探头看看，里头黑咕隆咚的，还有

yì gǔ chòu hōng hōng de wèi er mào chū lái dīng ding niē zhù bí zi shuō
一股臭烘烘的味儿冒出来。丁丁捏住鼻子说：

"多黑！再说那么臭……"

唏哩呼噜满不在乎地说："进去了再洗嘛！又没让你钻，我进去，给你打开防盗门。"

小猪脱下衣服、裤子，交给小狐狸说："到防盗门那儿去等着吧！"

小狐狸等了不大工夫，两道防盗门就打开了。可就是小猪一身黑泥巴，还冒着臭气，小狐狸拼命叫："快去洗！快去洗！臭死啦！"

小猪洗得干干净净，穿上衣裳，拖干净厨房的地板——他就是从那儿钻进来的。小狐狸第一次佩服他的这位朋友：多大的本事！要是他自己，费多少心思也甭想进来。这回，他的房间又属于他啦！

他打开冰箱，拿出好多好吃的东西招待他

49

的朋友，还把他的高级玩具都搬来。

两个家伙足足闹了一大通。

玩腻了，丁丁又把唏哩呼噜领到他爸爸房间。唏哩呼噜没见过保险柜，歪着脑袋看。小狐狸一下子生出恶作剧的念头，心想：挨一个耳光也没什么了不起的嘛！他就说："那里头有钱。可就是打不开！要是你能打开，我马上就能还给你钱！"

小猪使劲摇头："那样子不好！"

小狐狸说："那有什么不好？保险柜是我家的，是我让你帮我开的！"

小猪说："是你爸的。要是你爸锁起来，那就是说，不让你开。"

小狐狸说："错啦！那是怕小偷儿打开。我

50

爸对我说：'丁丁，我锁保险柜，是怕小偷儿开。你可以随便开。好，我现在就告诉你密码！'他就把密码告诉我了。——你瞧，是不是让我随便开？"

小猪不明白："'密码'是什么玩意儿啊？"

"就是说，你自己设定一个号码，好比说：3858。就你自己知道，别人谁都不告诉。你先转那个旋钮，转完3、8、5、8，你再拉保险柜的门，门一拉就开了。可是别人不知道这个号码，怎么拉也拉不开！"

小猪觉得很有意思。他问："你爸不是告诉你那个密……那个'密码'了吗？为什么你还打不开？"

哎哟，干吗要说"打不开"呀！小狐狸眼睛

一转说："其实我打得开。我那么说，是怕你知道我的密码。"

小猪说："你开吧，我蒙住眼睛！"

"我怕你偷看。"

"那我到那个屋子里去！"

小狐狸只好又想主意。唏哩呼噜最爱帮人家的忙，要是他这样说……

于是小狐狸就说："其实也不是怕你知道我们的密码，你是我的好朋友，还特别老实，要是我告诉你不要对别人说，你一定不会说。我打不开，是因为那个旋钮我拧不动，大概是好多日子没拧，有点儿锈了……"

反正他怎么着也得让小猪出个大洋相，让自己哈哈大笑一通，开开心。

果然，小猪说："我比你劲儿大，我试试！——是哪一个？"

小狐狸指指说："就是左边的那个！"

小猪走上去拧那个亮亮的旋钮，小狐狸吓得"噌"地跳到远处——他怕那个大耳光也波及他。

小猪拧了一下说："挺滑溜的呀，没锈！"

小狐狸呆住了。这个保险柜一点儿动静也没有，更不要说打小猪耳光！

这是怎么回事？坏了？

他真想上去对密码，立刻打开保险柜。可是他忽然觉得他的脸火辣辣地疼，那回的两个大耳光好厉害，他绝对忘不了！

"那好吧！"他还是站在远处，对小猪说，

"现在我念密码，我念几，你就把旋钮上的红箭头对准几！你先转左边的那个！"

"两个都得转？"

"对啦，是双密码的！"

小狐狸接着就念起来。他念"5"，小猪就拧到"5"；他念"7"，小猪就拧到"7"。等到两个旋钮都对完，还没等小狐狸去拉呢，保险柜的门"当"一声响，自己就开了！

哇，里边那么多的钱！

小狐狸跑过来，发疯似的捧起那些光闪闪的钱又扔下去，弄得"哗啦啦"、"哗啦啦"响个不停。小猪傻呆呆地在一旁看着。他从来没见过这么多钱！

接着，小狐狸数出一些放在地板上，对小

54

猪说："这是你爸爸褥子底下的37块钱！你赶紧给他放回去，要不他肯定会揍你一顿！"

看见小猪还在发呆，他就一把一把抓起来，往他衣袋里塞。塞完了，他又拿起两块钱说："这是我跟你借时，说好了借一块还两块！"

小猪替他的朋友担忧："这么干，你爸不揍你？"

小狐狸说："没事儿！你瞧瞧，看出来这钱少了吗？不动钞票就行，我爸爸的硬币根本就

55

méi shù er
没数儿！"

shuō zhe   tā yòu yì bǎ yì bǎ wǎng zì jǐ de yī dài li chuāi
说着，他又一把一把往自己的衣袋里揣，

hái shuō   zhēn guài   zěn me wǒ yì mō jiù
还说："真怪，怎么我一摸就……"

tā   yì gāo xìng   jiù bǎ bǎo xiǎn guì shān tā dà ěr guāng de shì shuō
他一高兴，就把保险柜扇他大耳光的事说

le   xiǎo zhū jiào qǐ lái   yuán lái nǐ shuō   xiù le   shì xiǎng ràng
了。小猪叫起来："原来你说'锈了'，是想让

tā shān wǒ ěr guāng
它扇我耳光？"

xiǎo hú li hā hā xiào   méi cuò er   kě shì bù zhī dào wèi
小狐狸哈哈笑："没错儿！可是不知道为

shén me wǒ bà huì chū zhè zhǒng cuò er   tā lí kāi zhè wū zi de tóu yí
什么我爸会出这种错儿！他离开这屋子的头一

jiàn shì jiù shì jiǎn chá bǎo xiǎn guì   kàn néng bù néng shān rén jia dà ěr guāng
件事就是检查保险柜，看能不能扇人家大耳光！"

xiǎo zhū bù míng bai   nà tā zì jǐ kāi ne
小猪不明白："那他自己开呢？"

xiǎo hú li yì zhǐ shuō   kàn jiàn qiáng shang suǒ zhe de nà ge tiě
小狐狸一指说："看见墙上锁着的那个铁

xiāng zi le ba   tā yào dǎ kāi bǎo xiǎn guì   xiān dǎ kāi tiě xiāng zi
箱子了吧？他要打开保险柜，先打开铁箱子，

qiē duàn diàn yuán   wǒ bà kě cōng míng la   tā bǎ diàn xiàn dōu mái zài dì
切断电源！我爸可聪明啦，他把电线都埋在地

dǐ xia   shéi yě zhǎo bú dào   bié xiǎng qiē duàn diàn yuán
底下，谁也找不到，别想切断电源！"

小猪忽然明白了什么，他说："呀，大概是我'切断电源'啦！我钻地道的时候，有一根绳子缠到我腿上，那里头特别黑，也看不清，我使劲一扯，绳子就断了……"

小狐狸跳起来喊："糟啦，那是电线！我爸爸这回肯定会发现我开了他的保险柜！咱们一定要把电线接好！"

4 结果

这个结果不太好。

因为，两个小家伙一抬头，正看见狐狸掌柜一声不响地站在门旁，凶巴巴地盯着他们。

我不太忍心把下面发生的事告诉你们。

57

58

xī lī hū lū dāng dà xiá
唏哩呼噜当大侠

 lù jiàn bù píng　xiǎo zhū dāng pí qiú
路见不平　小猪当皮球

jí shì hǎo rè nao
集市好热闹！

xīng xing lǎo èr zhèng zài jí shì shang mài xiāng jiāo　　tā dà shēng yāo he
猩猩老二正在集市上卖香蕉。他大声吆喝

zhe
着：

wèi　　　lái mǎi dà xiāng jiāo
喂——来买大香蕉！

xiāng jiāo hǎo bù hǎo　yí kàn jiù zhī dào
香蕉好不好？一看就知道！

yào wèn tián bù tián　cháng chang bú yào qián
要问甜不甜，尝尝不要钱！

shān yáng lǎo hàn xiǎng mǎi xiāng jiāo　　tā shēn guò bí zi qù wén wen
山羊老汉想买香蕉，他伸过鼻子去闻闻，

59

说："真香！多少钱一斤？"

猩猩老二回答说："一百块。"

山羊老汉吓一跳："哟，这么贵！"

猩猩老二说："哪儿的话！东西跟东西不一样。我哥是水果批发站的经理，你瞧瞧，谁有我这么棒的香蕉？"

山羊老汉转身走开，嘴里说："再见！"

猩猩老二大喝一声："站住，你还没给钱哪！"

山羊老汉又吓了一跳："我没买呀？"

猩猩老二说："你闻了没有？把我香蕉的味儿闻走了，不给钱还行！"

山羊老汉说："你讲了'尝尝不要钱'的。连尝都不要钱……"

猩猩老二说："对呀！可是我讲了'闻闻不

yào qián méi yǒu méi jiǎng ba
要 钱 ’没 有 ？没 讲 吧 ？"

tā què shí méi jiǎng wén wen bú yào qián shān yáng lǎo hàn tàn le
他 确 实 没 讲 "闻 闻 不 要 钱"，山 羊 老 汉 叹 了

yì kǒu qì yì biān shēn shǒu qù mō yī dài yì biān wèn wén wen yào
一 口 气 ，一 边 伸 手 去 摸 衣 袋 ，一 边 问 ："闻 闻 要

duō shao qián
多 少 钱 ？"

xīng xing lǎo èr shēn chū liǎng gè zhǐ tou liǎng bǎi kuài
猩 猩 老 二 伸 出 两 个 指 头 ："两 百 块 ！"

shān yáng lǎo hàn huái yí zì jǐ de ěr duo chū le wèn tí shén
山 羊 老 汉 怀 疑 自 己 的 耳 朵 出 了 问 题 ："什

me nǐ shuō yì jīn yì bǎi kuài liǎng bǎi kuài qián néng mǎi liǎng jīn xiāng jiāo la
么 ？你 说 一 斤 一 百 块 ，两 百 块 钱 能 买 两 斤 香 蕉 啦 ！"

xīng xing lǎo èr shuō bú cuò kě shì nǐ wén de nà duī xiāng
猩 猩 老 二 说 ： "不 错 ！可 是 你 闻 的 那 堆 香

jiāo shì wǔ shí duō jīn
蕉 是 五 十 多 斤 ！"

shān yáng lǎo hàn jiào qǐ lái nǐ jiǎng bù jiǎng lǐ ya
山 羊 老 汉 叫 起 来 ："你 讲 不 讲 理 呀 ？"

xīng xing lǎo èr shuō bù jiǎng lǐ nǐ gěi bù gěi qián
猩 猩 老 二 说 ："不 讲 理 。你 给 不 给 钱 ？"

shān yáng lǎo hàn shuō bù gěi
山 羊 老 汉 说 ："不 给 ！"

xīng xing lǎo èr zhào zhe shān yáng lǎo hàn dōu tóu jiù shì yì quán
猩 猩 老 二 照 着 山 羊 老 汉 ，兜 头 就 是 一 拳 。

shān yáng lǎo hàn gěi dǎ le gè yǎng miàn cháo tiān pá bù qǐ lái
山 羊 老 汉 给 打 了 个 仰 面 朝 天 ，爬 不 起 来 。

61

小猪唏哩呼噜到集市去，正好赶上山羊老汉弯下腰去闻香味儿。一见猩猩先生动手打人，他急忙跑上去说："不可以动手打人的！"

猩猩老二打量了小猪一眼，笑了："呦，出来个大侠！不可以动手，那就动脚吧！"说着，他就给了小猪一脚。

这一脚把小猪踢出去好远。小猪一直撞到正围在那里瞧热闹的驴掌柜身上。驴掌柜很生气，给了小猪一蹄子。小猪爬起来，高兴地说："真棒，你比他劲儿大！你去管管他，总不能让他随便欺负老头儿！"

驴掌柜说："他又没问我要钱，我管那闲事干吗？我踢你，是因为你撞疼了我。"

小猪说："对不起，我不是故意的……"

他扭头看，猩猩老二正在很卖力气地踢山羊老汉，嘴里还说："猪大侠不让我动手，我动脚好了，给钱！给钱！给钱！"

他说一声"给钱"，就踢一脚。一大群看热闹的，谁也不管，只顾兴致勃勃地看。

小猪又冲上去，喊叫说："动脚也不对！"

猩猩老二说："猪大侠的意思，还是动手好？怎么又变了主意呀！好吧，再听你一回，我还是使拳头……"

小猪见他转身又奔向山羊老汉，急坏了，

63

尖声吓唬他说：

"你再欺负人，我就去叫——"

他想说"叫我师父"，可是一想，挨打了叫师父很不光彩，就改成："我去叫我徒弟来收拾你！"

猩猩老二又呵呵笑着走回来："去叫你姥姥吧！"

说着，他猛一抬脚，把小猪踢得飞起来。小猪怕把脑袋撞坏，连忙跟个刺猬似的，把身体缩成一个球球儿。他飞进一家院子，先撞到瓜架上，把顶上结的一个大冬瓜撞掉，接着又飞向窗户，"哗啦啦"一片响，撞碎玻璃，飞进屋子。

这是老棕熊的家。老棕熊先生正坐在院

子里，一边喝茶，一边欣赏他的大冬瓜。

架上这个大冬瓜，是他的骄傲，是他的希望。再有一个月，就是镇上的"冬瓜大赛"，今年获头奖的，会得到一辆"飞天"牌高级摩托车。最近几天，老棕熊悄悄到各家去窥探，发现谁家的冬瓜也不如他的这个冬瓜大。他喝一口茶，就笑呵呵地朝他的冬瓜点点头："啊，我的心肝宝贝！我日日夜夜伺候你，你也没有辜负我！"

他怎么也没想到，就在他美滋滋地冲着他的"高级摩托车"笑的时候，一个大皮球忽然飞进来，撞在他的瓜架上。随着"哗啦"一声响，大冬瓜直坠下来，"噗"的一声，变成大大小小许多碎块和一汪水。

老棕熊先生"哇"一声大叫，接着就向院子外头冲去。两扇关着的大门被他撞碎了，木屑乱飞。

他东张西望，看见猩猩老二正揪着山羊老汉乱打，嘴里还在喊："再不给钱，我就像踢足球一样，也把你踢飞。那可就不是飞进谁的院子，是让你掉进大粪池子里淹死！"

老棕熊先生火冒三丈，他直奔上去，吼叫道："原来是你

这小子干的！"

他一巴掌就把

猩猩老二打翻

在地。猩猩老

二什么时候碰

66

到过这种事？他跳起来，狠狠还了他一脚。没想到，这一脚好像踢在大树干上。老棕熊纹丝没动，眨巴眨巴眼，又给了他一巴掌。

这一巴掌打重了。猩猩老二"扑通"一声躺下，一时挣扎不起来。老棕熊怒气未息，坐在他身上，左一拳右一拳只顾打，嘴里还念叨："让你踢足球！让你踢足球！"

小猪唏哩呼噜飞进屋子，在地上弹了一下，直滚进床底下。他爬出来，朝四周看看说："哇，好像是谁家的屋子！这可不太好……"

虽说这次也"不是故意的"，到底还属擅闯民宅。

他急忙跑到外边，看见院子里扔着一摊碎冬瓜，闻到一股清香诱人的味儿。

67

小猪自言自语地说："明摆着是主人家不要了，扔在这儿的。就这么扔了太可惜，不如 '唏哩呼噜'、'唏哩呼噜' 把它吃下去！"

小猪又想想，觉得有些不妥。

"猩猩先生说我是猪大侠。这可不是大侠应该做的！"

他惦记着山羊老汉，急忙跑回去。只见人群围得水泄不通，又听得圈子里头"乒乒乓乓"乱响，显然还在那里打。有些看热闹的大声喝彩：

dǎ de hǎo
"打 得 好！"

shǐ jìn zòu
"使 劲 揍！"

shān yáng lǎo bó nà me shòu   zěn me jīn de qǐ zhè bān dǎ   xiǎo
山 羊 老 伯 那 么 瘦，怎 么 禁 得 起 这 般 打？小

zhū jí le   pīn sǐ mìng wǎng quān zi li jǐ   yì biān jiān zhe sǎng zi
猪 急 了，拼 死 命 往 圈 子 里 挤，一 边 尖 着 嗓 子

jiào   bù néng zài dǎ la   zài dǎ jiù chū rén mìng la
叫："不 能 再 打 啦！再 打 就 出 人 命 啦！"

yǒu rén nà hǎn zhù wēi   zōng xióng xiān sheng dǎ de gèng qǐ jìn er
有 人 呐 喊 助 威，棕 熊 先 生 打 得 更 起 劲 儿

了。听见有谁尖声喊出不同意见，他不由得仔细看看猩猩老二，只见那家伙直翻白眼儿，已经是有出气儿没进气儿了。他心想："那叫喊的小崽子说得也是，果真打死，免不了一场麻烦！"

老棕熊站起来，拍拍身上的土，分开人群，扬长而去。

小猪挤进去，一时怔住了：躺在地上哼哼的，怎么竟是猩猩老二？

从这以后，猩猩老二每回见着小猪唏哩呼噜，总是满脸堆笑、点头哈腰地说："哟，是猪大侠！您吃了吗？今儿个天气真不错！"

有一回，他还拱着手说："我是有眼不识泰山！那天多亏猪大侠拦住了高徒，不然我就完蛋啦！您的徒弟不但力大无穷，拳脚也十分了

70

dé …… 'míng shī chū gāo tú' , zhè huà zhēn shì yì diǎn er dōu bù
得 …… '名 师 出 高 徒' , 这 话 真 是 一 点 儿 都 不

jiǎ
假 ！"

2　鸡宅捉鬼　大侠惹麻烦

dà xiá xī li hū lū chū le míng
大 侠 唏 哩 呼 噜 出 了 名 。

rén pà chū míng zhū pà zhuàng　jī tài tai zhè yì tiān hū rán zhǎo
人 怕 出 名 猪 怕 壮 ， 鸡 太 太 这 一 天 忽 然 找

shàng mén lái　mǎn liǎn kǒng jù　shén mì xī xī de duì xī li hū lū
上 门 来 ， 满 脸 恐 惧 ， 神 秘 兮 兮 地 对 唏 哩 呼 噜

shuō　tā jiā li nào guǐ　zhū dà xiá wú lùn rú hé yào qù bāng gè máng
说 ， 她 家 里 闹 鬼 ， 猪 大 侠 无 论 如 何 要 去 帮 个 忙 。

hái méi bān qù de shí hou　wǒ jiù tīng shuō nà ge zhái zi bù
"还 没 搬 去 的 时 候 ， 我 就 听 说 那 个 宅 子 不

gān jìng　jī tài tai shuō　yè lǐ cháng yǒu guǐ zǒu dòng　piān piān wǒ
干 净 ，"鸡 太 太 说 ，"夜 里 常 有 鬼 走 动 。 偏 偏 我

xiān sheng bù tīng　hái xī xī hā hā　shuō wǒ shén jīng bìng　zhè xià zi
先 生 不 听 ， 还 嘻 嘻 哈 哈 ， 说 我 神 经 病 。 这 下 子

dào hǎo　tā xiān xià de bān dào lǚ guǎn qù zhù le
倒 好 ， 他 先 吓 得 搬 到 旅 馆 去 住 了 ！"

xiǎo zhū hǎo bàn tiān méi shuō chū huà lái　tā shì zài xiǎng　dà xiá
小 猪 好 半 天 没 说 出 话 来 。 他 是 在 想 ， 大 侠

71

该不该管鬼的事情。最后，他犹犹豫豫地说：

"那个……那个鬼是什么样子的？"

鸡太太说："也没个准模样儿。有时候好大，脑袋高到棚顶；有时候好像又很小。有时候是个黑影子，有时候连影子都没有，就是一阵阴森森的风。唉，要是瞧得见，也许就不那么吓人了。可是什么都没有，忽然就冲着你的脖梗儿吹一口凉气……"

小猪怔了一会儿，问鸡太太："那个……那个……他出来干什么？"

"你说鬼呀？倒也没干什么，就是太瘆人啦！"

小猪说："嘻！他又没咬你们，又没揍你们，你们别理他就算了嘛！——呀，想起来啦！我妈让我去买酱油，我耽误她做饭，她准得骂我！

鸡太太，再见！"

鸡太太一把扯住他："对了，他祸害人！偷我们的鸡蛋！"

小猪说："噢，那准是耗子！我们家原先也闹耗子，把我的皮球都拖进洞里去了，还当那是鸡蛋呢！"

鸡太太说："不对，我们家已经没耗子了！再说，耗子偷鸡蛋是为了吃。那鬼就为吓唬人，'啪，啪，啪！'把鸡蛋扔在地板上摔碎，蛋壳壳就扔在那儿！"

这确实不像耗子，不过——

小猪说："哎呀，砸鸡蛋有什么好怕的？又不是砸脑袋！"

鸡太太看了小猪一眼，小心地说："是不是

73

……是不是大侠跟我们普通老百姓一样，也怕鬼？"

大侠可不能跟普通老百姓一样！猪大侠说：

"哪儿的话！走，您带我瞧瞧去！"

鸡太太说："大白天的，哪儿找鬼去呀？鬼到半夜三更才出来呢！猪大侠夜里再来吧，您这会儿不是急着买酱油去吗？"

小猪说："那么晚上去打扰，不好意思！"

鸡太太说："这个您放心！我也领着孩子们

74

住进旅馆了——没听说'嫁鸡随鸡'吗？您谁也不会打扰的！"

小猪忍不住叫出来："就我一个呀？"

鸡太太问："大侠还担心什么？"

小猪说："没……没什么。我是说，主人都不在家，就我一个人不太合适。"

鸡太太说："哟，瞧您说的！别人信不过，猪大侠我还信不过呀？还有件事忘了告诉您：鬼这种东西不喜欢亮光，您得关上灯，他才出来呢，开着灯，您可抓不住他。您不怕黑吧？"

小猪说："不……不怕。"

鸡太太笑着拍拍他的肩膀："我就说嘛！要是连灯都不敢关，那还算什么大侠？"

鸡太太把院门和房门的钥匙都交给了猪大

侠，说了一句"等您的好消息"就走了。

"大侠就是要扶危济困、热心助人嘛！"

小猪这么一想，立刻勇气百倍。

刚吃过晚饭，小猪就提着一根木棒，到鸡家去了。——我们要在这里替小猪说句话：他可不是因为害怕，用木棒给自己壮胆儿。侠客们出门，都要随身带着兵刃的，有的是刀，有的是剑。咱们这位大侠是使棍的。

唏哩呼噜到了鸡宅，先把屋子检查一番，还敲了敲墙壁和地板，墙壁和地板都发出"哐哐哐"的声音，这让大侠多少有点儿不自在。

接下来，他对自己说："我忘了先敲敲我们家的墙和地板了，要是敲敲，一定也是'哐哐哐'

de
的！"

zhè me yì shuō　xiǎo zhū de xīn lì kè tā shi le
这 么 一 说 ， 小 猪 的 心 立 刻 踏 实 了 。

tā zài wū zi li nào teng le yí zhèn zi　nào lèi le　jiù bān
他 在 屋 子 里 闹 腾 了 一 阵 子 ， 闹 累 了 ， 就 搬

le yì bǎ xiǎo yǐ zi kào qiáng zuò xià　bǎ dēng guān diào
了 一 把 小 椅 子 靠 墙 坐 下 ， 把 灯 关 掉 。

wū zi yì hēi　xiǎo zhū yòu bú zì zai qǐ lái
屋 子 一 黑 ， 小 猪 又 不 自 在 起 来 。

tā zǒu hēi lù yǒu gè hǎo bàn fǎ　jiù shì biān gè gē er chàng
他 走 黑 路 有 个 好 办 法 ， 就 是 编 个 歌 儿 唱 ，

tā jiù chàng qǐ lái
他 就 唱 起 来 ：

dà guǐ shì gè pì
大 鬼 是 个 屁 ，

pì shì yì gǔ qì
屁 是 一 股 气 。

biān chū zhè liǎng jù　xiǎo zhū zì jǐ xiào qǐ lái　tā yòu jiē zhe
编 出 这 两 句 ， 小 猪 自 己 笑 起 来 。 他 又 接 着

wǎng xià chàng
往 下 唱 ：

77

rè jiù rè liáng jiù liáng
热 就 热 ，凉 就 凉 ，

fǎn zhèng méi guān xi
反 正 没 关 系 ！

shuō shì méi guān xi tā hái shi xiǎng qǐ le jī tài tai jiǎng
说 是 "没 关 系" ，他 还 是 想 起 了 鸡 太 太 讲

de wǎng bó gěng er shàng chuī liáng qì de huà tā cháo hēi àn li zhāng
的 "往 脖 梗 儿 上 吹 凉 气" 的 话 。他 朝 黑 暗 里 张

wàng yí xià gǎn jǐn shuō zhè ge gē er bù hǎo zài huàn yí gè ba
望 一 下 ，赶 紧 说 ："这 个 歌 儿 不 好 ！再 换 一 个 吧

……"

xiǎo zhū yòu chàng
小 猪 又 唱 ：

78

大侠胆子特别大，

天不怕，地不怕。

要是谁敢来捣乱，

一棍子我就打扁他！

这么一唱，小猪的心里舒服多了。

他唱了一遍又一遍，直唱到"第一怕"占了上风。

唏哩呼噜的"第一怕"是什么？哈，怕困！

他们猪家的人，第一怕困，第二怕饿，只要一困或者一饿，"怕鬼"可就排到后头去了。

猪大侠先是打盹儿，上身猛地往前一倾，他赶快坐直。可是紧接着他又打了第二个盹

79

儿 。 这 次 他 一 头 扎 在 地 板 上 ， 手 里 的 木 棒 扔

了 ， 小 椅 子 也 一 齐 翻 倒 ， 扣 在 他 身 上 。

小 猪 嘟 囔 了 一 句 ："哇 ， 困 死 啦 ……"身 体

一 动 也 没 动 ， 就 那 么 睡 着 了 。

他 睡 的 时 间 不 长 ， 有 什 么 东 西 "扑 棱" 响

了 一 声 。

虽 然 声 音 很 轻 ， 小 猪 还 是 惊 醒 了 。 事 情 就

是 这 样 ：有 时 候 ， 很 轻 的 声 音 反 倒 让 人 警 觉 。

小 猪 躺 在

地 板 上 ， 一 动

也 不 敢 动 ， 光

是 竖 起 耳 朵 听 。

他 觉 得 有

谁 轻 轻 从 背 后

走向他，向他脖梗儿上吹凉气，正像鸡太太说的那样，那是一股"阴森森的风"。

小猪吓得浑身的毛毛儿都竖起来了。

他检查屋子的时候，曾看见墙角有个大筐，掀开盖子看，里头有三四十个鸡蛋。当时他就想，这是个藏身的好地方。钻进这里头，准比钻到床底下要安全得多，因为，妈妈在他躲藏起来的时候，总是先掀开床单，往床底下看。

现在到了利用一下那个大筐的时刻了。小猪鼓足力气，"腾"的一下从地板上蹦起来，一头钻进那个大筐，把盖子拉得严严的。

看来，鬼也拿他没办法，不再往他脖梗儿上吹凉气了。

小猪侧着头使劲听，也没再听到"沙沙"的

声音，不知道是因为盖子盖得太严，还是因为鬼已经走了。

大筐里还铺着柔软的干草，小猪觉得身底下热乎乎的很舒服，又睡着了。

这一觉睡的工夫可不小。

睡着睡着，小猪忽然听见地板上响起"哆哆，哆哆"的声音。他睡得稀里糊涂，以为正是半夜三更，身上的毛毛儿不由得又直竖起

来：鸡太太讲过，鬼有时候是从地底下钻出来的！

接下来更可怕了：

有两只毛茸茸的手，轻轻抓他的肚皮！

小猪"吱儿"一声尖叫，顶开筐盖跳出来。

屋子里亮得晃眼。原来，早就天光大亮，太阳光已经灌满了房间。

那个大筐塞满了稻草，密不透风，小猪感觉不到天已大亮。

大筐里一片"叽叽叽叽"的叫声。小猪探头向里看，呀！筐里有一大群黄色的、毛茸茸的小东西！

原来，他整整一宿趴在鸡蛋上，孵出了一大窝小鸡！

小鸡在筐里又是叫，又是跳："叽叽叽，要出去！"

"叽叽叽，要出去！"

83

xī li hū lū kuài huo de hǎn guāi bǎo bǎo bié zháo jí
唏哩呼噜快活地喊："乖宝宝，别着急……"

tā bǎ kuāng yì qīng xiǎo jī zǎi er men yì wō fēng pǎo chū lái
他把筐一倾，小鸡崽儿们一窝蜂跑出来，

wéi zhù le xiǎo zhū jiào jī jī mā ma
围住了小猪叫："叽叽，妈妈！"

mā ma jī jī jī
"妈妈，叽叽叽！"

xiǎo zhū hā hā xiào cuò la gāi jiào wǒ zhū dà xiá
小猪哈哈笑："错啦！该叫我'猪大侠'。

nǐ men bú guò shì wǒ fū chū lái de shēng chū nǐ men de kě shì jī tài
你们不过是我孵出来的，生出你们的可是鸡太

tai tā cái shì nǐ men de mā ma
太，她才是你们的妈妈！"

xiǎo jī zǎi zi men bù guǎn hái shi jiào jī jī mā ma
小鸡崽子们不管，还是叫："叽叽，妈妈！"

84

“妈妈，叽叽叽！”

“叽叽，我要七！”

“我要七，叽叽！”

小猪又哈哈笑：“是‘吃’，不是‘七’！

——这个好办，你们跟我来！”

那一大群鸡崽儿争先恐后地跟着“妈妈”

跑进院子。唏哩呼噜用嘴巴从泥土里拱出好

多蚯蚓来。鸡崽儿们冲上去一阵乱啄，抢不

到的就叫“妈妈”、喊“七七”。小猪说：“不要

急，不要急，都有，都有！”

正忙得不可开交，小猪听见背后有谁说：

“恭喜啦，一下子生了这么多娃娃！”

小猪回头看，是一条蛇。他怔了一下，接

着就欢喜地大叫：“是花花！我怎么老找不着

你呀？"

花花说：“我搬到这儿来住了，这儿的耗子多。原来昨天晚上钻进筐里孵小鸡的是你呀？太黑，我一下子没认出来！”

小猪忽然明白了：“昨儿晚上往我脖子上吹凉气的，准是你！”

花花说：“你脸朝外躺着睡觉，我又没认出你，往你脖子上吹凉气干吗呀！”

他想了一下，又说："噢，我明白啦！一定是耗子洞里吹出来的凉风。你躺的地方正靠着洞口。那些耗子跑进跑出，好难抓！我就在每个洞口都塞了一块石头，这样就把他们都堵在里头了。我出洞的时候顶开石头，回洞的时候用尾巴一卷，又把洞口堵严。"

小猪说："怪不得凉飕飕的，原来是地底下吹出来的风！那么说，往地板上'啪、啪'摔人家鸡蛋的，也是你啦！"

花花不好意思地说："后来耗子抓得差不多了，我没的吃，半夜里钻进筐里吃过两回鸡蛋。我囫囵着吞下去，总要把肚子里的蛋摔破，才好把壳壳吐出来……是鸡太太跟你讲的吧？"

小猪说："鸡太太不知道是你干的。"

他 就 把 鸡 太 太 找 他 来 抓 鬼 的 事 情 讲 了 一 遍。

花 花 一 边 听 一 边 笑:"我 可 从 来 没 吓 唬 过

她!地 板 下、墙 里 头、天 棚 上 都 住 着 耗 子,我 抓

耗 子,当 然 有 声 音,什 么 '闹 鬼'?她 说 的 '阴

森 森 的 风',大 概 也 是 从 我 顶 开 了 石 头 的 耗 子

洞 里 吹 出 来 的。谁 没 事 儿 砸 她 的 鸡 蛋 干 什 么

呀?实 在 是 肚 子 饿 得 不 好 受。'大 鬼 的 脑 袋'、

'影 子'什 么 的,也 是 她 自 己 吓 唬 自 己。有 一 回

半 夜 里,邻 居 的 牛 大 叔 打 开 手 电 筒 在 院 子 里 找

什 么 东 西,树 影 在 屋 里 的 墙 上 晃 动,鸡 太 太

88

就吓得大叫一声，用被子紧紧蒙住脑袋。她自己胆子小，怪谁呀？"

小猪也笑起来。

鸡崽儿们怕花花，都躲在小猪身后，挤成一团，唧唧喳喳叫。小猪说："别怕，他是我的好朋友，快叫'花花叔叔'！"

花花说："瞧他们那德行！跟他们的妈妈一样，就会自己吓唬自己。最后那只最难抓的耗子，也被我昨晚抓住了。这地方我再也没事干了，现在我就搬走，你也好跟鸡太太有个交代。——哎呀，吵死啦！好，再见，下午我去找你玩儿！"

鸡太太回来了。唏哩呼噜不愿意讲出他的好朋友，只告诉鸡太太，她的房子再也不会闹鬼了。鸡太太听了非常高兴，说是要把大侠孵出来的小鸡全都送给他："您瞧，他们跟您多亲热，根本不理我！"

这礼物可把唏哩呼噜吓坏了——他比昨天晚上"鬼"往他脖梗儿上吹凉风的时候还要吓得厉害。想想嘛：以后他就像一只老母鸡似的，整天带着一群鸡崽儿走来走去……那还像个什么大侠呀！

他说什么也不肯要！

鸡太太跟大侠讲实话了："这并不是给您当抓鬼的报酬，我是养活不起呀！就你会孵小鸡，我不会？为什么我不孵？生一个就要缴800块的'鸡头税'，大侠您一下子给我孵出36个来，您算算，我一下子得缴多少钱？再说还得

90

养！粮食一个劲儿涨价，光是现在这12个娃娃，就把我先生的腰都累弯了！"

猪大侠没想到，他惹出这么大的麻烦来！

他只好苦苦央求鸡太太，还是把这群小鸡留下："我会挣钱了。以后我多找些活儿干，保证替您缴齐鸡头税！"

好说歹说，鸡太太总算同意这办法了。

可是麻烦还不止这一件——

猪大侠只要在路上碰到一只小鸡，这小鸡就会叽叽叫："妈妈！妈妈来啦！我要七，七七七！"

一下子，那一大帮鸡崽儿全围上来，欢快地叫"七七"，还紧紧地跟住他，不论他走到哪里。猪大侠唯一的办法就是把他们引回鸡太太的院子，拱蚯蚓喂他们吃，然后，趁他们吃得起

91

jìn er de shí hou　　měng rán fān guò qiáng qù　　pīn zhe sǐ mìng táo zǒu
劲 儿 的 时 候 ，猛 然 翻 过 墙 去 ，拼 着 死 命 逃 走 。

nǐ men yào shi xiǎng kàn kan zhū dà xiá　　fēi yán zǒu bì　　de gōng
你 们 要 是 想 看 看 猪 大 侠 "飞 檐 走 壁" 的 功

fu　　zuì hǎo zhè shí hou lái kàn　　nà kě zhēn shi　jí　rú shān diàn
夫 ，最 好 这 时 候 来 看 。那 可 真 是 疾 如 闪 电 ！

xún fǎng lù fěi　　zhēn xiá dòu jiǎ xiá
寻 访 路 匪　 真 侠 斗 假 侠

tù zi tài tai gào su gǒu tài tai shuō　　nín zài shàng jiē kě děi
兔 子 太 太 告 诉 狗 太 太 说 ："您 再 上 街 可 得

xiǎo xīn zhe diǎn er　　zuó er yè lǐ　　wǒ men hú tòng li de māo lǎo tài
小 心 着 点 儿 ！昨 儿 夜 里 ，我 们 胡 同 里 的 猫 老 太

tai zài lù shang
太 在 路 上

ràng qiáng dào jié
让 强 盗 劫

la　　qiáng dào qiǎng
啦 ！强 盗 抢

zǒu tā de tí dōu
走 她 的 提 兜

er　　hái zài tā
儿 ，还 在 她

dà tuǐ shang yǎo le
大 腿 上 咬 了

92

两个洞。那个强盗报了字号，说是'野猪大侠'！"

狗太太端着饭锅去买馄饨的时候，告诉驴掌柜说："猫老太太在路上被强盗劫啦！那个强盗凶着哪，抢走猫老太太的钱包儿不算，还在她腿上扎了两刀！那个强盗是猪大侠……"

这话是不是传得有些走样儿了？"提兜儿"变成了"钱包儿"，"咬两个洞"变成"扎了两刀"，"野猪大侠"的"野"字也丢了。

驴掌柜告诉来吃馄饨的猴子太太和羊先生说："猫老先生在路上让强盗抢走了一万块钱，抢走就算了，还在老先生胸口扎了两刀！听说干这件事的是猪大侠，该不是找了徒弟来整治猩猩老二的唏哩呼噜吧？"

猴子太太和羊先生又去对别人讲。传来

传去，这话就变成了：唏哩呼噜为了给他爸爸买汽车，夜里拿着刀子出去劫路，抢走了猫老先生的十万块钱不说，还差点儿把他扎死。这孩子本来不错呀，怎么会干出这种事来？这可真是"学坏容易学好难"哪！

这话传到了猪先生的耳朵里，猪先生完全不相信唏哩呼噜会干出这种事，可还是把他的宝贝儿子狠狠揍了一顿。他一边使劲抽他屁股，一边说："为什么人家不讲别的孩子，偏讲你？可见你小子有毛病！"

大伙儿都传这件事，一见猪先生来了，就把声音放低，变成窃窃私语，这很让他丢面子。

猪先生可是个体面人！

过了两天，又传开一个消息：猪大侠夜里

钻进了超级市场，把里头的香蕉、苹果、大鸭梨，还有萝卜、土豆、圆白菜，吃了个精光。

猪先生又把唏哩呼噜狠揍了一顿。

唏哩呼噜对自己说："这样下去可不行！"

他决定去访访那个冒牌儿的猪大侠。

也不光是为了自己不再挨揍，除暴安良是侠客的本分。他可是真正的猪大侠！

天黑以后，唏哩呼噜提了木棒，溜出家门。

他悄悄沿着路边走。四周一片寂静，他只听见自己的心跳声："扑通、扑通、扑通……"

突然间，一个高大的家伙从黑影里跳出来，喝道："嘿，站住！野猪大侠在此！"

这声断喝真像平地一声雷。小猪被吓了个跟头，摔倒的时候，手里的木棒也扔出去了。

那个家伙弯腰看看小猪，乐了："原来是我
亲戚，快起来，快起来！"

小猪爬起来，先把木棒抓到手里。看见那
家伙挺和气，小猪又来了劲："谁是你亲戚！你
竟敢冒充……冒充……"

他想说"冒充猪大侠"，可是没说出口。

第一，人家分明是讲"野猪大侠"；第二，那家
伙跟爸爸个头儿差不多，而且十分精壮，他的

长嘴巴上还龇出两根白森森的尖牙齿，显得威风凛凛，实在比自己更像个大侠。

"我谁也没冒充，我就是野猪大侠。"那家伙心平气和地说，"能碰上你可太好啦！白白嫩嫩的，日子想必过得不错。你准不知道夜里睡在马路上是什么滋味儿！"

小猪说："碰上也白搭，我才不认你这样的亲戚！你抢走猫老先生十万块钱，还在人家胸口扎了两刀……"

"你胡扯些什么呀！"野猪大侠说，"这跟我有什么关系？"

小猪说："别装傻，就是你干的！"

野猪大侠叫起屈来："冤枉啊！什么猫老先生？什么十万块钱？什么扎了两刀？你看我

97

有刀吗？不信你搜搜！你还拿着根棍子，我连根筷子都没有！那天晚上我饿极了，遇上个老太太，可能是只猫，可我保证那不是个'先生'，先生没那么小气的！她提的包里头有点心。我见她一边走一边吃，就上去跟她讨一块。那老太太真抠门儿，说什么也不给。我说那就半块吧，半块也不给！我急了，在她大腿上咬了一口，提起她的包儿就跑了。她那个包儿里，连一个铜板都没有！"

小猪说："就算这样吧，也还是拦路打劫。你是不是还钻进人家的超级市场，把青菜和水果都吃光了？"

野猪大侠点点头说："有这回事。可是我有什么办法？肚子饿呀！好汉做事好汉当，我吃完了，在墙上写了八个大字：'偷吃者，野猪大侠也！'"

小猪说："抢人家、偷人家，还算什么大侠！"

野猪大侠说："大侠不是要劫富济贫吗？"

小猪说："'济'你自己呀？"

野猪大侠说："你能说我不'贫'？我还没见城里的有哪个比我更穷！好了好了，别再说废话，赶紧领我到你家去吧！"

"到我家去干吗？"

"睡觉啊！你瞧，天都这么晚了，你总不好意思让我还在马路上睡吧？那还算什么亲戚！"

小猪说："那你得先承认，抢猫老太太、偷超级市场是不对的！"

野猪大侠忽然冲上来，照着小猪的大腿

99

就是一口。

小猪疼得"吱儿"一声尖叫。

野猪大侠说:"看在亲戚的分儿上,我还没使劲咬呢!你带不带我去?"

小猪叹了一口气说:"那好吧……"

野猪大侠摇摇头:"你们城里人,个个都小里小气,跟你们打交道,难着呢!亏得我长了一口好牙。"

其实唏哩

呼噜要领他回

家,一半儿是

因为觉得他睡

在马路上很可

怜。他心想,

我明天可以带他出去干活儿。有了吃的，他就不会去抢、去偷了。

他对野猪大侠说："到了我们家，你赶紧进我屋子，别让我爸瞧见你。"

野猪大侠说："你爸算老几呀！他有我这么厉害的牙齿吗？他敢把我野猪大侠怎么样？"

小猪说："不敢把你怎么样，可是准敢把我揍一顿！"

野猪大侠说："随便揍人还行？你放心，他敢揍你，我就敢咬他。大侠就是专管这个的！"

小猪连忙说："你可别胡来！"

回到家，唏哩呼噜悄悄把野猪大侠领进自己的房间，问他："你吃过晚饭了吧？"

野猪大侠说："还没有。我正想说呢！"

"你刚才怎么光说来睡觉？"

"怕一起说把你吓着，做事情要一步一步的嘛！到了你家，你还能不管饭？"

小猪溜进厨房，给客人端回满满一笼屉窝头。

野猪大侠一通大嚼，把一屉窝头全吃光了。接下来，"嘎巴嘎巴"，他把笼屉也嚼碎吞了下去。小猪说："哇，你怎么连笼屉都吃了？"

野猪大侠说："没事儿，我牙好！"

小猪着急地说："你没事儿，我有事儿啊！明天早上我妈找不着笼屉，还不找我算账？"

野猪大侠一挥手："明天的事儿，明天再说，现在睡觉！"

小房间里只有一张床。野猪大侠说："我

睡床，你睡地板——我好几个月没睡床啦！"

小猪说："这张床你不能睡，因为……"

野猪大侠说："你们城里人就是……"说着，跳上来就咬了小猪一口，疼得小猪"吱儿"一声尖叫。

野猪大侠刚往床上一躺，就听见"嘎巴嘎巴"、"哗啦啦啦"一片响，小床整个地垮下去，变成了一堆碎木片儿。

103

野猪大侠在那上面躺了一会儿，跳起来说："你的床一点儿都不好，又硌腰又扎屁股，还是你自己睡吧！"

说完，他滚到地板上，立刻"呼噜呼噜"地睡着了。

第二天早晨，小猪对野猪大侠说："你别再去抢了，今天我带你出去干活儿。咱们到饭馆去端盘子，洗碗碟。"

野猪大侠摇摇头说："不行啊！我试过。他们说我呆头呆脑，只配留在乡下种地。我们那儿的人都说城里的钱好挣，进城就能发大财，谁知道是这鬼样子！"

嘻哩呼噜说："我认识一个地方，他们那儿需要干活儿的。你跟我学着做，准能挣到钱。

到时候，咱们就能买到好多好吃的东西。"

野猪大侠一听，立刻来了精神："好，你教给我，我给你当徒弟！"

恰巧在这时候，猩猩老二提着一篮子水果走进小猪家的院子。听到说话声，他心想：这个小猪崽儿好厉害，不知又收了谁当徒弟……

他走进屋子看见野猪大侠，不由吓了一跳。哇，这家伙看上去比老棕熊先生还要凶嘛！

因为害怕，他向唏哩呼噜说了几句"今儿个天气真不错"、"您身体好吧"什么的，立刻就告辞了，临走还随手提起水果篮子。他不敢再留下那篮水果惹麻烦。

可是野猪大侠追了出去，在猩猩老二的大腿上狠狠咬了一口，喝道："喂，把东西留下来！"

猩猩老二疼得"哇"一声大叫，丢下水果篮子，一瘸一拐地逃走了。

"我就说你们城里人小气嘛！"野猪大侠提着篮子走进来说，"明明来送礼，想一想后悔了，又要提回去！"

说着，他从篮子里掏出一个苹果，在衣服上蹭蹭，就往嘴里送。小猪拦住他说："不要吃！我可不想收他的礼物！"

野猪大侠跳上去，先咬了小猪一口。小猪疼得"吱儿"一声尖叫，

106

急忙逃开。野猪大侠说："你不收，我收！"

他一边说，一边"嘎巴嘎巴"、"呱唧呱唧"，把篮子里的香蕉、苹果、大鸭梨全吃了。

他吃得还不尽兴，又抓起水果篮子，一口咬上去。

没料到这么一咬，他那两颗像尖刀一样的长牙齿忽然歪斜了。

"这是怎么回事？"野猪大侠觉得不对头，连忙伸手去摸。

这么一摸，两颗长牙齿"叮叮"、"当当"，都掉在地板上。

"这不可能！"野猪大侠跳起来大叫。

随着叫声，又"乒乒乓乓"一阵响，他满口的牙都滚出来，散落得满地都是。

"这不可能！"他叫得更凶，可是这回已经是满口冒风，听上去"咝咝"的，"我连石头都嚼得碎，怎么这篮子会硌掉牙？"

"是啊！"小猪心里想，"昨儿晚上还嚼碎了一层笼屉呢……哎呀不妙，是不是这水果——"

他慌慌张张跑过来问："这水果里边，有没有橘子？"

野猪大侠说："有十来个呢！橘子怎么啦？"

108

小猪说："这准是他哥哥的橘子！那玩意儿不得了，马太太只尝了一个，满嘴的牙就掉光了！我一个朋友……"

野猪大侠像疯了一样在地上跳："我要找他去算账！我要把他的牙都敲下来！"

接着，他就像一阵旋风似的冲出去。

小猪猜对了。

原来，水果批发站的猩猩经理听说象博士发了财，买了别墅，就找上门去，要求把钱分给他一半。象博士心里明白，要不是猩猩经理批发的橘子酸掉了那么多人的牙，他的牙科诊所门前就绝不会排长队。要是他自己独吞，惹恼了猩猩经理，经理不再进那种比柠檬还酸十倍的橘子，自己的生意就完蛋了。所以讨价还价了一番，他答应猩猩经理每卖掉一筐橘子，他就付给猩猩经理两万块钱。猩猩经理知道他弟弟猩猩老二是市场上的一霸，谁酸掉了牙也不敢找他算账，就拉了一卡车，白送给老二。

猩猩老二一直以为棕熊先生狠揍他一顿是唏哩呼噜指使的，怀恨在心。听说棕熊先生出国传授种冬瓜的经验去了，猩猩老二觉得机会难得，就假装看望唏哩呼噜，在水果篮子里掺进几个那种橘子，要给小猪一点儿苦头吃。

话说野猪大侠追到大门外，猩猩老二已经溜得无影无踪。想想自己没了牙，在城里也没法儿再混下去，野猪大侠长叹一声，悄悄回乡下去了。

110

这么一来，镇上又传开了一个消息：原先干坏事的那个家伙，是个冒牌货。真正的猪大侠听说了这事，非常生气，提起棍子就寻上门去。猪大侠少林棍法精奇，也不打对手别处，每送上一棍，就敲掉假猪大侠一颗牙齿，几十个回合过去，把那家伙敲得一颗牙齿也没剩下。假大侠只好跪在地上求饶，还磕头央告真大侠收他当徒弟。猪大侠撇撇嘴说："滚得远远的，别让我再瞧见你！"

于是，大侠唏哩呼噜又给镇上除了一害。

你们看嘛，是不是再也没有一头猪拿着刀子劫路的事了？

111

4 草包争气 天下无敌手

这天晚上，小猪唏哩呼噜刚刚睡着，就有人掀开他的被子，使劲揪他的小尾巴。

小猪睁开眼睛，见是小猴子皮皮。小猪扯回被子蒙住头，哼哼唧唧地说："闹什么呀，人家好困！"

小猴子皮皮说："你这个大侠光知道睡觉！大盗猩猩老二截住兔子玲玲，要抢她的钱！"

唏哩呼噜立刻跳起来，一边穿衣服，一边急着问："在什么地方？"

皮皮说："在吊死鬼胡同。"

小猪往窗外看看，外边很黑。他又坐下，

112

对皮皮说："你撒谎！这么晚，玲玲才不会出来！"

皮皮说："什么我撒谎，是你听说在吊死鬼胡同，不敢去了！"

小猪说："才不对。我还帮鸡太太捉过鬼呢……"

皮皮说："那你是怕猩猩老二！"

小猪说："更不对！猩猩老二一见着我就鞠躬，还说：'猪大侠您吃啦？'"

皮皮说："那就快走！玲玲可着急了，让我快来找你，说除了猪大侠，没人能救得了她。"

"她真是那么说的？"

"当然啦！你别怕，要是猩猩老二真敢动手，还有我呢！"

小猪大声说："走！"

113

他们出了门，一路飞跑。可是跑到吊死鬼

胡同口，小猪一回头，小猴子不见了。小猪连

叫了三声"皮皮"，都没有人回答。

月亮又大又圆，像个白灯笼，就挂在房顶。

胡同里有谁哇哇叫，还有谁嘤嘤地哭。

小猪大踏步走过去。

猩猩老二手持一把切西瓜的大刀，正用它

在兔子玲玲鼻子前晃来晃去："快把钱掏出来，

不然我就不客气啦！"

兔子玲玲两手各抓着一只长耳朵擦眼泪，

耳朵都湿透了："我真没有钱……"

小猪冲上去，一指猩猩老二说："你给我

住手！"

猩猩老二吃了一惊，扭头见是唏哩呼噜，

114

连忙丢下西瓜刀，向他鞠躬说："猪大侠晚上好！您吃啦？出来遛个弯儿？您瞧今儿晚上的月亮多好！"

唏哩呼噜真希望小猴子皮皮跟他一起来。

他逼进一步，问猩猩老二说："你在这儿干什么？"

猩猩老二赔着笑脸，点头哈腰地说："没事儿！没事儿！这个小姑娘迷路了，我问她的家在哪儿，想把她送回去，可是她不说话，光是哭！"

猪大侠问："你让她把什么掏出来？"

"噢，噢！我是说钱——啊，是这么回事：我想替她叫一辆出租汽车，问她带着钱没有。她要是没带着钱呢，我就给她车钱……"

兔子玲玲哭叫："他撒……撒谎！"

115

猪大侠说："你瞧，人家说你撒谎。"

猩猩老二嬉皮笑脸地说："我是撒谎了，我正抢这个小兔子的钱呢，你能把我怎么样？"

说着，他还笑嘻嘻地给了猪大侠一个耳光。

猪大侠没防备，让他打了个大跟头，坐在地上发呆。猩猩老二说："哼，你当我真怕你呀？我凭什么怕你，就因为老棕熊是你徒弟呀？呸，我早打听清楚了，人家是把你当成了皮球，你还冒充是人家的师父！"

小猪分

116

辩说："我没讲过我是他师父呀！"

猩猩老二叫道："你还耍赖！是不是你讲的去叫你徒弟来收拾我？就会吹牛！还说在鸡婆子家捉鬼，捉什么鬼？那鬼就是你好朋友装的！"

猪大侠说："我去的时候可不知道……我真不知道！"

猩猩老二一瞪眼："你再说，我还给你个耳光！你还胡吹，说那个野猪大侠也是你徒弟，其实他一高兴就揍你一顿，你给人家当徒弟，人家还不要你呢！他是吃了我的酸橘子，才掉了满嘴的牙，要说除害，是我给镇上除了害。你倒四处去说，牙是你用棍子一个一个敲掉的！"

小猪叫屈："是他们瞎传的，我从来没说过！"

117

猩猩老二冷笑："什么狗屁'猪大侠'，简直就是个草包、饭桶嘛！"

把唏哩呼噜数落了一大顿，猩猩老二说："你说'我是个草包、饭桶'！说！你说了，我就放你走。不然，我今天揍扁了你！说呀！你说不说？"

小猪坐在地上，偷看了玲玲一眼。玲玲正焦急地盯着他。

小猪连忙爬起来，心想："玲玲信任我，今天专向我求救。我可得拿出大侠的真本事来，决不能让她失望！"

猩猩老二一见唏哩呼噜站起来，喝道："你给我躺下吧！"

随着喝声，猛踢一脚。小猪像个皮球一样

给踢得飞起来，直向墙上撞去。他虽然缩头

藏尾，却在撞到墙上的一刹那，伸出双腿一

蹬。

　　猩猩老二见小猪被踢出去，满以为他会被

撞昏，四脚朝天躺在地上，不料小猪竟反弹回

来，"砰"的一声，正撞在自己胸口上。猩猩

老二闷哼一声，仰面朝天倒下去。

猪大侠稳稳站住，笑着说："是你自己踢倒了自己，不算！"

猩猩老二冒火，跳起来的时候抄起地上切西瓜的大刀，照着猪大侠脑袋直砍下去。猪大侠不躲闪，反倒把脖子一挺，只听得"当"一声响，火星子四溅。大侠的脑袋连个白印儿也没留下，猩猩老二的西瓜刀却震得脱手飞出去，"嚓"一声扎在墙头。坏小子手也震破了，甩着胳膊，"哎哟哎哟"直叫唤。

兔子玲玲欢喜得鼓起掌来。

猪大侠站着不动，对猩猩老二说："这回也不算，是你的刀把子太滑。咱们再来……"

猩猩老二趁小猪说话的工夫，用尽全力打出一拳。眼见拳头就落在猪大侠身上，猪大侠

120

忽然不见了，猩猩老二收不住脚，偏偏闪到他背后的猪大侠又就势一推，猩猩老二一直朝前倒下去，来了个嘴啃泥。

这下子摔得不轻，猩猩老二趴在地上直哼哼。兔子玲玲高兴得不知如何是好，她跑上来，在小猪脸上使劲亲了一下。

小猪有些心慌，脸也红了。他对玲玲说："咱们走吧，我送你回去……"

他们走出不远，猩猩老二爬起来，悄悄跟上，到了近处，忽然一阵风似的扑上去。猪大侠就像脑袋后头也长着眼睛，等猩猩老二扑到背上才猛地一蹲，猩猩老二绊到他身上，一头栽下。小猪生气了："你这家伙真无赖！我一直不还手，你倒没完没了！"

121

说着，小猪抓住猩猩老二两只脚，往上一抡，猩猩老二飞起来，越过重重屋脊，也不知飞到哪里去了。

玲玲惊讶地叫："你力气好大哟！"

小猪自谦地说："也谈不上。武艺这东西，光凭力气不行，有时候是一股巧劲儿，就是借对手的力量打他……"

他们一路说说笑笑，从胡同里走到大街上。

大街上竟站着许多居民，把宽宽的马路都堵严了，一见猪大侠他们走来，立刻有谁喊叫："那个该死的猪崽子来了！"

小猪定睛看时，喊叫的正是猩猩老二。猩猩老二一叫，他身后又闪出个躯体高大、十分粗壮的家伙。那家伙抢上来说："我也有笔账要跟你算！你撞碎我的头号大冬瓜，害得我丢了'飞天'牌摩托车，要不是猩猩老二告诉我，我还当你是个足球呢！"

这位凶巴巴的是老棕熊先生。

他的话还没讲完，又有个凶神恶煞般的家伙拨开人群走出来："哈，你个猪崽子！上回你开枪吓唬我，想办法溜了，害得我饿了三天。

123

这回看你往哪儿跑！"

这家伙竟是月牙熊！

月牙熊跑上去跟棕熊先生握握手，拍拍他的肩膀说："哥们儿！今天我也不能独吞，把他撕开，咱们俩一人一半儿！"

兔子玲玲吓坏了，她使劲抓住唏哩呼噜的胳膊，颤声说："咱们快跑吧！"

这时候，又有个龇着两根尖牙齿的家伙跑上来，冲着小猪吼叫道："认得我吧，猪崽子？要不是你不准我劫路，我就不会到你家去！要是不到你家去，我就不会吃橘子！要是不吃橘子，我就不会酸掉了满嘴的牙！今天我跟你没完！"

这是野猪大侠！他跑到猩猩老二面前，跟

他握手说："谢谢你，二先生！要不是您出钱帮

124

我镶好了牙，我就完蛋啦！这新牙很结实，今天
我拿这猪崽子做试验，咬给你看！"

猩猩老二笑着说："不客气，不客气！咱们
共同努力！"

他们几位这么一闹，围在那里等着看热闹
的就更来情绪了，站在后边的拼命往前挤。小
猪安慰玲玲说："别害怕，没事儿！"

他又跨前两步说："不要讲废话了，你们

125

说，咱们是单打独斗，还是你们一齐上？"

那四个还没开口，有一位穿着西服、有点

儿驼背的大个子先生走出来。他朝大家鞠个

躬，一板一眼地说："各位、晚安！兄弟是、'西

里华拉'、大饭店的、骆驼经理。请各位，多多

关照！为支持、本镇的、武术运动的开展，本大

饭店、愿意出资，摆设擂台！想揍人的，都到台

上去揍。获第一名的，奖赏、本大饭店特制

的、一吨重的、'西里华拉'大蛋糕、一个！本

大饭店的、蛋糕，经外国专家鉴定，已超过、外

国、同类产品水平！味道、好不好，一尝、就知道！"

大伙儿听了，一齐鼓掌。能打的，都想得

到那个特制的大蛋糕；不能打的，都想看到别

人打个你死我活。动物镇的居民有个毛病，就

是特别喜欢看打架。要是一天没看到打架，他们连晚饭都吃不下去。

十米高的大擂台一下子就搭起来了。台上有条大横幅，写着：

西里华拉武术大赛

大饭店把他们舞厅的灯都装到擂台顶上，不仅把擂台照耀得如同白昼，还花花绿绿，十分好看。特制的、一吨重的"西里华拉"大

127

蛋糕就摆在擂台一角。奶油的香气四溢，害得大伙儿不住地咽口水。

兔子玲玲可没心思顾蛋糕，她悄悄扯扯小猪的袖子说："趁着他们不注意，赶快走吧！"

小猪说："不对……你没瞧见猩猩老二一直盯着我？"

骆驼经理站到台前说："大赛，现在、开始！凡是，把对手、揍得、爬不起来，或者，弄下擂台，就是、赢了！"

野猪大侠抢先沿梯子爬上擂台，一指台下说："小崽子，你给我上来！"

唏哩呼噜根本用不着梯子。他双脚一跺，就轻飘飘地跃上了十米高的擂台。台下的观众齐声喝彩。

128

野猪大侠还没动手，先输了一招儿。他十分恼火，直冲上去，施展出看家的本领，先在小猪的大腿上狠狠咬了一口。

他没想到，这一口竟像咬在铁棒上，刚刚镶上的满嘴新牙齿，齐齐地落下。野猪大侠暴跳如雷，把头一低，冲着小猪发疯一般撞去。小猪也不想太难为他，只把身子一旋闪开了。野猪大侠撞空，前边也没个遮拦，畅通无阻地冲出擂台，倒栽下去。

台下的观众响起雷鸣般的喝彩声。骆驼经理宣布说："这第一仗，猪先生、赢了！"

月牙熊先生上了台。他冷笑说："你这猪崽子一贯投机取巧，又碰上了这么一个傻瓜。今天撞到我手里，可该你倒霉了，有本事你别

pǎo
跑！”

xiǎo zhū shuō　　　yě zhū xiān sheng yào shi shǎ guā　nín kě jiù shì
小 猪 说：“野 猪 先 生 要 是 傻 瓜，您 可 就 是

gè zhēn zhèng de huài dàn le
个 真 正 的 坏 蛋 了！”

yuè yá xióng gāng tīng tā shuō chū　huài dàn　liǎng gè zì　jiù huī
月 牙 熊 刚 听 他 说 出 “坏 蛋” 两 个 字，就 挥

bì　jī chū yì zhǎng　zhè yì zhǎng dài zhe fēng shēng　xiǎo zhū gōng yāo shǎn
臂 击 出 一 掌，这 一 掌 带 着 风 声。小 猪 弓 腰 闪

kāi　jiù shì wǎng tā　tuǐ shang yí zhuàng　yuè yá xióng　gū dōng　yì shēng zāi
开，就 势 往 他 腿 上 一 撞，月 牙 熊 “咕 咚” 一 声 栽

dào dì shang　tīng dào tái xià xiǎng qǐ yí piàn hōng xiào　xiǎo zhū zhàn dào tā
到 地 上，听 到 台 下 响 起 一 片 哄 笑。小 猪 站 到 他

miàn qián　zhāo shǒu shuō　qǐ lái　qǐ lái
面 前，招 手 说：“起 来！起 来！”

yuè yá xióng dà nù　bù děng pá qǐ jiù shēn chū gē bo qù lāo xiǎo
月 牙 熊 大 怒，不 等 爬 起 就 伸 出 胳 膊 去 捞 小

zhū de liǎng tuǐ　nà liǎng tiáo tuǐ jiù zài yǎn qián　yuè yá xióng yǐ wéi zhè
猪 的 两 腿。那 两 条 腿 就 在 眼 前，月 牙 熊 以 为 这

yì bǎ zhǔn néng jiāng xiǎo zhū zhuā zài zhǎng xīn　shéi zhī yǒu yì tiáo tuǐ hū rán
一 把 准 能 将 小 猪 抓 在 掌 心，谁 知 有 一 条 腿 忽 然

zì jǐ sòng le shàng lái　hěn hěn tī dào tā bí zi shang　yuè yá xióng téng
自 己 送 了 上 来，狠 狠 踢 到 他 鼻 子 上。月 牙 熊 疼

de　wā　yì shēng dà jiào　yì shí liǎng yǎn fā hēi
得 “哇” 一 声 大 叫，一 时 两 眼 发 黑。

zài zhè sì gè tiǎo zhàn de duì shǒu li　xiǎo zhū zhǐ tǎo yàn xīng xing
在 这 四 个 挑 战 的 对 手 里，小 猪 只 讨 厌 猩 猩

130

老二和月牙熊，而最坏的，他认为就是月牙熊，所以他对月牙熊很不客气，不等月牙熊站起来，又上去给了他一脚。月牙熊又"咕咚"一声趴下了。

他就这么左一脚、右一脚，一直踢得月牙熊再也不想爬起来。骆驼经理宣布说："这一仗、又是、猪先生、赢了！"

第三个走上擂台的，是威风凛凛的棕熊先生。棕熊先生很有大将风度，他巍然站立不动，说道："猪先生出招儿吧！我可比刚才那位力气大些，你最好不要跟我硬碰硬。请！"

小猪说："承教承教！不过，我倒很想试试'硬碰硬'。"

说完，他直向棕熊身上撞去。棕熊也不躲闪，运足力气，单等小猪倒撞回去，摔个仰面朝天。他怎么也没想到，小猪这一撞就像是一辆大卡车撞到他身上。他"噔、噔、噔"倒退了四五步还是收不住脚，一屁股坐在地上。

这位大将脾气不好，台下一喝彩他就冒火了，跳起来就扑向小猪。猪大侠早讲了要"硬碰硬"，也不躲闪。棕熊先生双手抓住小

132

猪，就想举起，扔下擂台去。也不知怎么回事，没把小猪举起来，他自己倒两腿悬空了。

猪大侠借势举起棕熊先生，心想："这台太高，怕是要摔坏了老头儿……"眼光一扫，看见牙科诊所的象博士正坐在一把藤椅上呆看，就瞄准了他，把棕熊先生朝下一掷。

老棕熊飞下去，正跌进大象怀里，如同落

在软垫子上，果然没摔着。象博士却吃了点苦头，整个身体，连同椅子一起，朝后倒去，后脑勺子撞到马路上。

象博士爬起来，竟直奔擂台。梯子"嘎吱嘎吱"响，几乎被他压断。攀上去之后，他对小猪说：

"唏哩呼噜，不是我以大欺小，我也不在乎你撞了我脑袋。明天是我太太的生日，你也伺候过我太太，知道她最爱吃奶油蛋糕。这个蛋糕个儿还真大，拿到我家去最合适，我只好对不起你啦！"

小猪说："您别客气，来吧！"

象博士伸出长鼻子，使劲卷来，那意思是要把小猪拦腰卷起，扔下擂台了事。

134

台下的观众，连兔子玲玲在内，都断定这场戏就要收场了。谁还敢再上台来跟一头大象争啊！

谁都没料到事情会是这样：猪大侠见大鼻子抡起来，不但没躲，反倒一把抓住鼻子尖端，用力一扯。象博士被他扯得"轰隆"一声趴在台上。

台下一时鸦雀无声，因为大伙儿全都惊呆了：他们眼睁睁地看到，小猪又双手扯住大象的鼻子，把他抡得离开地面，又兜了好几个圈子，突然松开手。

大象飞向空中，小猪才想起用眼睛去寻找兔子玲玲。玲玲正站在观众里跺着脚喊："好哇！好哇！了不起！唏哩呼噜真了不起！"

小猪笑着向玲玲挥手，可是他高兴得太早了——说来也奇怪，飞出去的大象在空中兜了个圈子，又飞了回来，"轰隆"一声落在擂台上。只听得"咔嚓！哗啦啦！"擂台被砸得垮下来。那个极大的蛋糕也被震得翻了个身，正扣在唏哩呼噜的脸上。

哎哟，闷死了，屁股也摔得好疼！

有谁把他脸上的蛋糕掀下去，小猪睁开眼睛看，是妈妈！

猪太太把被子揭开，把唏哩呼噜抱到床上去，不满意地唠叨说："真没办法，都这么大了，睡觉还是不老实！"

小猪完全清醒了。

唉，真可惜！原来打遍天下无敌手只不过是一个梦！

有谁在大门外喊：

"唏哩呼噜！"

"快出来嘛，懒蛋猪大侠！"

小猪急忙跳起来穿衣服。喊他的是兔子玲玲和小猴子皮皮。哇呜老师的新学校今天开学，他们昨天就约好了要一起上学的。

小猪唏哩呼噜为什么如此令人着迷

儿童阅读推广人　阿甲

　　2005年《父母必读》杂志与红泥巴读书俱乐部举办了第一届 Top 10 童书评选活动，活动前后持续了近一年时间，针对近几年出版的童书，以适合0~8岁儿童阅读的图书为主，分别由读者投票、专家投票和编辑投票，最后综合决出前10名。此次评选没有限定图书原始出版的范围，因此进入前10名的绝大多数是从国外引进的图画书，只有一本国内原创童书入选，而且还不是图画书，这就是孙幼军先生的《小猪唏哩呼噜》。

　　以"小猪唏哩呼噜"为主人公的系列童话，是孙幼军先生主要创作于20世纪90年代初的童话代表作。老先生当时已接近花甲之年，他曾在60年代创作了当代经典童话《小布头奇遇记》，影响了整整一代人，但由于历史原因辍笔多年，直到80年代才恢复创作，此时仍处于童话创作的高峰期。小猪唏哩呼噜的故事是那种令人非常愉快的童话，秉承了作者一贯的幽默风趣的语言风格，而且在"儿童观念"上远远跨越作者早年的理解，对孩子们甚少训教，充满了理解和爱怜。

　　1990年，孙幼军先生获得国际安徒生奖作家奖提名，同年获得画家奖提名的还有插画家裘兆明女士，他们一同赴美参加了IBBY大会。同行中愉快的交流促成了他们的合作，两位国内首次获得安徒生奖提名的作家和画家联手创作了最初的版本——《哷哩呼噜历险记》，由湖南少年儿童出版社出版。不过非常遗憾，这本文图俱佳的作品开始并没有在内地市场上获得成功，倒是在台湾由《民生日报》出版的繁体字版取得了一定的佳绩。

2002年年底春风文艺出版社再版，书名定为《小猪哷哩呼噜》。除故事内容做了一些修改外，新版最大的变化是在形式上，采用了四四方方的开本，大幅彩色封面，内页的插图、版式也开阔了许多，一看就是专门为孩子准备的书。在形式上，旧版将读者群定位在有独立阅读能力的小学生以上，而新版则向下兼容，看上去也很适合讲给幼儿听。

我自己很喜欢这本新版的书，读给上幼儿园的女儿听，她也很喜欢；到学校去给一到三年级的小同学讲这个故事，他们也很喜欢。于是在2003年出版的《让孩子着迷的101本书》中用专门的一篇推荐了它。红泥巴读书俱乐部从一开始就向家长、老师和孩子们推荐，推荐的渠道主要是在网络上。我们推荐给《父母必读》杂志的编辑们，她们中有不少是读《小布头奇遇记》长大的，于是她们也喜欢上了这本书，读给她们的孩子听，通过杂志推荐给更多的家长和孩子。就这样，越来越多的人开始关注起可爱的小猪哷哩呼噜了。

在新版的编排设计中，编辑的确抓住了这本书的要害。别看是那么长篇的一本书，在骨子里面它是非常符合幼儿心理的故事，语言也相当的口语化，非常适合直接读给孩子听。在结构上，它由四个独立的中篇童话构成，而每一篇又分章节，每一节都不长，用正常的语速读，大约

5～10分钟就能读完一节。而老先生在故事的讲述上也很有技巧，几乎每一节在结束时都留下一点悬念。可以设想一下，当你为孩子读这本书的时候，每天可只读一到两节，然后你就放下来，孩子很可能会追问"那后来呢"，你告诉孩子"明天请继续收听"，等到第二天大致相同的时间你再继续。就这样天天为孩子读，不到两个星期就可以全部读完。

在西方的童书中，有一种类型叫做Readaloud，意思是"适合大声为孩子读的书"，绝大多数图画书和部分童话、小说都被认为是Readaloud，有些作家在创作时就有这种特定的追求，比如英国作家达尔创作的大部分儿童小说都是典型的Readaloud，他的经典名篇《詹姆斯与大仙桃》被誉为英文世界中最适合为孩子读的书。如果借用这个概念，不难发现《小猪唏哩呼噜》就是一部典型的Readaloud。可惜在简体中文世界里，这种适合直接为儿童大声读的书是很少的，而特意为孩子们创作这种作品的作家更是少之又少，孙幼军就是这样一位作家。

当你捧起《小猪唏哩呼噜》，最好不要默读，请大声地读，读给孩子听，读给自己听，你就能领略它的魅力，知道它为什么会那么令孩子和妈妈们着迷了。许多为孩子读过这本书的妈妈们，在网上留下了她们的感想和书评。后来连老师们也加入进来，他们为小学低年级的孩子们读，获得了前所未有的成功。心怀感激的读者希望向孙幼军先生表达敬意，甚至会发邮件给我，托我转达。其中有位妈妈的讲述特别让我感动，她说自己四岁多的儿子特别喜欢听这本书，她已经为他读了几遍。可是妈妈要到异地去工作一段时间，临走前她对着录音机读了几个晚上，这样儿子每天晚上又可以听到妈妈读的《小猪唏哩呼噜》了。

2005年12月Top 10童书评选颁奖大会上，孙爷爷来到家长和孩子们的中间。他站在临时围起来的舞台中央，为孩子们读《小猪唏哩呼噜》的开头部分，所有的人都开心地笑了。专注的孙爷爷没有留意到，在他脚边的泡沫地板上趴着一个小男孩，抢在他的前头，一句一句地把这一节全背了下来。大会结束后，许多读者带着孙爷爷签名的书离开，一个小女孩缠着妈妈，让她一边走一边继续读后面的章节……

真正让孩子着迷的书，大概就是这样吧。

2006 年 5 月

孙幼军 1933年出生于黑龙江省哈尔滨市。1960年毕业于北京大学中文系，后分配到外交学院汉语教研室任教。一生跨越了许多不平凡的时代。童话般地创作了一部了不起的童话——《小布头奇遇记》，感动了几代人，成为经典。主要从事童话创作，曾获得中国作协"全国优秀儿童文学奖"、第二届"全国少儿读物评奖"一等奖、"中国国家图书奖提名奖"、"宋庆龄儿童文学奖"首奖等多种奖项。1990年获国际儿童读物联盟荣誉奖及国际安徒生奖提名，是我国第一位获此殊荣的作家。收入《世界优秀专家人才名典》。

　　现居北京外交学院，过着平凡而朴素的生活。头发花白，孩子一样可爱。对生活和生活中的人充满爱意和关怀，笔耕不辍。代表作有：《小布头奇遇记》《怪老头儿》《小猪唏哩呼噜》等，另有译作《聪明的小狐狸》等。

裘兆明 1940年生，浙江嵊州人。中国美术家协会会员，人民美术出版

社编审。1964年毕业于中央美术学院，师从李可染、李苦禅、叶浅予、宗其香诸先生。作品频繁在国内外展览、收藏、获奖。巨作《雾中傣家》在天安门长期展挂并收藏。1990年获国际儿童读物联盟荣誉奖及国际安徒生奖提名，是中国第一位获此殊荣的画家。1999年获"世界杰出华人艺术家"称号及世界华人国际荣誉金奖。2001年入选全国"百年中国画展"。2003年北京"裘兆明山水画展"。有多种出版物面世，入编《中国现代美术家人名大辞典》等许多辞书及大型画册。

小猪唏哩呼噜亲密的朋友
——聪明的小狐狸

我和女儿喜欢的三只狐狸：列娜狐　了不起的狐狸爸爸
还有这只聪明的小狐狸

——本书责任编辑